Le mur et l'Arpenteur

Du même auteur

Le métayer de la peste
Nouvelles, Gros Textes, 1999

Souvenirs d'un autre
Nouvelles, Raphaël De Surtis, 1999

Où elles vivent à présent
Nouvelles, Orage-Lagune-Express, 1999

Le Musée
Roman, Fer de Chances, 2000

Douze mètres cubes de littérature
Nouvelles, Éditions du Rocher, 2003
PRIX PROMÉTHÉE DE LA NOUVELLE

La double mémoire de David Hoog
Roman, A contrario, 2004

La Bresse dans les pédales
Récit, Nykta, 2005

Les faux-sauniers
Roman, Nykta, 2007

Le passeur d'éternité
Roman, L'instant même / Les 400 coups, 2007

TITRES POUR LA JEUNESSE

L'échange
Syros, 2007

Tonton Zéro
Syros, 2008

Charlepogne et Poilenfrac
Conte illustré par Olivier Tallec, Le Baron perché, 2007

Un amour sur mesure
Conte illustré par Marjorie Pourchet, Nathan, 2008

Roland Fuentès

Le mur et l'Arpenteur

roman

L'instant même

Les 400 coups

Illustration de la couverture : Alain Pilon
Maquette de la couverture : Nicolas Calvé et Lino
Correction d'épreuves : Joëlle Chauveau
Direction de production et composition typographique : Nicolas Calvé
Direction éditoriale : Christine Féret-Fleury et Gilles Pellerin

Dépôt légal : 2ᵉ trimestre 2008
Bibliothèque et archives nationales du Québec
Bibliothèque et Archives Canada

ISBN 978-2-84596-094-7 (En Europe)
ISBN 978-2-89502-260-2 (En Amérique)

Diffusion en Amérique
Diffusion Dimedia Inc.

Diffusion en Europe
Le Seuil

Imprimé au Canada sur les presses de Marquis Imprimeur.

De mémoire d'homme, le mur avait toujours été là. Dans ce territoire de poussière où la ville s'interrompait, créant un terrain nu, un espace libre pour le vent. Et les Fêtes de la Rénovation.

Bornant la cité sur son front oriental, le mur se poursuivait au-delà des faubourgs, courait la lande, ondulait au gré de ses vallonnements, s'inscrivait sur le cadastre d'autres communes, passait les frontières, existait enfin sur tout le paysage connu de ce côté du monde. Ceux qui ne l'avaient jamais vu le concevaient et l'acceptaient. Il était une réalité solide. Un paramètre incontournable de l'existence.

À certains endroits, sa surface se lézardait ; un peu de mortier, quelques pierres roulaient jusqu'au sol. Ceci toutefois ne concernait que la surface, n'entamait en rien la rigidité de l'ensemble. Le mur ne vieillissait pas. On ne lui en laissait pas le temps. La rénovation d'une zone avariée donnait lieu à des réjouissances populaires. Aux gens du quartier s'ajoutaient des convives accourus depuis des parties lointaines de la ville, chacun apportant un plat, une bouteille, une cornemuse, un tam-tam. Mais surtout, logée dans sa poitrine, dans son ventre, et plus bas, une envie chaude, un peu brutale, que chants et danses attiseraient.

Le protocole était bref, la rénovation symbolique. Les réjouissances quant à elles duraient jusqu'à l'aube. Les Fêtes de la Rénovation n'étaient pas célébrées à date fixe. Elles pouvaient être données plusieurs fois par an, ou ne pas avoir lieu durant des années.

C'était le mur qui décidait.

Olfan appartenait à la Confrérie des Arpenteurs. Chaque jour, il auscultait le mur pour prévenir d'éventuelles avaries. La friche constituait son lieu de travail. Il n'utilisait pas d'autres outils que sa vue et son pas.

Ce métier faisait des envieux. Outre la brièveté du temps de labeur — pour une auscultation optimale, il fallait attendre que le soleil soit haut dans le ciel —, on jalousait les Arpenteurs parce qu'ils annonçaient les rénovations à entreprendre, proclamant ainsi l'état de Fête. Travailler moins que les autres et jouer les oiseaux de bon augure ne déplaisait pas à Olfan. Mais ce qu'il aimait par-dessus tout, c'était arpenter la zone dont il assumait la responsabilité. D'autres auraient trouvé cela monotone. Olfan, lui, se réjouissait de marcher près du mur. Simplement marcher. La taille avantageuse de ses jambes l'avait prédisposé à cette tâche.

À une distance raisonnable, afin d'embrasser du regard un périmètre suffisamment large et haut, il foulait d'un pas lent, presque mécanique, le tapis d'herbes disparates qui poussaient là. Il connaissait par cœur sa portion de mur. Sur cette page immense, il lisait une sorte de géographie intime. L'édifice était si ancien que certaines parties avaient adopté, au fil des intempéries et des rénovations, une teinte particulière. Les yeux d'Olfan savaient distinguer dans les lignes qui ridaient la surface du mur celles qui, inexistantes la veille, pouvaient constituer un danger. Lorsqu'en s'approchant il découvrait une lézarde, une trace d'infiltration, une craquelure superficielle, un fluide infusait quelque part dans son corps, bouillonnait, jetait entre ses dents des cris de joie qu'il peinait à contenir.

Olfan, comme les autres Arpenteurs, possédait une personnalité double. Chargé de préserver la santé du mur, il lui souhaitait ardemment de tomber malade.

On connaissait le jeune homme dans cette partie de la ville. Il y avait vu le jour, écoulé sa jeunesse, et le poste qu'il occupait l'attachait encore à l'endroit. Un quartier semblable à beaucoup d'autres dans la périphérie, surtout résidentiel, quelques commerces assurant les besoins élémentaires de la population. Le boulanger, le banquier, l'apothicaire ou le facteur se différenciaient peut-être de ceux du quartier voisin : celui-ci portait la rondeur sur toute sa personne tandis que celui-là n'avait que la peau sur les os. Pourtant il y avait un autre boulanger un peu plus loin, ou un apothicaire, ou un facteur, qui rappelait celui-ci. De même qu'il y en avait encore un autre ailleurs pour rappeler celui-là.

Olfan aimait son quartier pour ces trois fois rien qui font partie de nous et que l'on nomme habitudes. Mais aussi, peut-être surtout, parce qu'il jouxtait le mur. Enfant

déjà, Olfan avait ressenti cette attirance. La masse gigantesque le rassurait. C'était un second père, un grand frère,
un ami fidèle et puissant. Olfan venait tout seul, le matin,
s'autorisant un détour sur le chemin de l'école. La masse
énorme apparaissait à contre-jour, barre noire infiniment
large, infiniment haute, limite absolue de la matière à l'est
du monde connu. Ce qui se trouvait au-delà, seul le soleil
aurait pu le dire. Peut-être n'y avait-il plus rien, et c'était
ce rien que le mur avait pour fonction de dissimuler.

L'enfant jouait aux équilibristes à la lisière de l'ombre
projetée sur le sol par la construction. Cette ombre
raccourcissait au fil de l'ascension solaire, attirant le
funambule vers le pied de l'édifice. Il devait fournir un
effort violent pour interrompre le jeu.

Adulte, Olfan avait conservé un goût prononcé pour les
jeux d'équilibre. Le vertige l'envahissait sitôt qu'il se voyait
osciller entre deux mondes, entre deux terres. Les lignes
fuyant sur les côtés d'un véhicule en mouvement, et cette
image pétrifiée du paysage que l'on découvre à l'arrêt. La
surface de l'eau observée depuis le pont d'un navire, et
la vie multiforme des profondeurs. Le monde à l'intérieur du mur, et l'au-delà du mur.

Il y avait à l'ouest de la ville une rivière qui contournait paresseusement quelques collines avant de déboucher sur le plat pays. Et de là menait à la mer.

Avec ses premiers salaires, Olfan avait acquis un bateau. Une coquille de noix usée mais qui possédait une voile et se laissait manier sans caprice. Le vieux renard qui la lui avait vendue pratiquait la pêche à la crevette. L'odeur persisterait, avait-il déclaré en frictionnant son menton râpeux. Sauf si Olfan faisait courir longtemps son bateau sur la mer. L'haleine du vent salé emporterait les odeurs, prédisait le vieux.

Il avait bien compris qu'Olfan ne pêcherait jamais la crevette. Le nouveau propriétaire affichait des airs de poète égaré, il n'utiliserait pas la mer comme garde-manger. Les jeunes de l'espèce d'Olfan passent sur la mer comme des caresses sur le dos d'un corps aimé. Ils n'y cherchent aucun profit. C'est que le leur est assuré. Aussi détiennent-ils le privilège de pratiquer des loisirs.

Levé tôt le dimanche, l'Arpenteur sautait dans la première charrette et se laissait conduire au port fluvial. Son embarcation l'attendait, amarrée aux côtés d'autres barques de dimensions semblables. Bien vite, il avait gagné l'eau vive. Son esquif glissait entre les collines, rangs d'épaules vertes et velues affalées le long des rives.

La vitesse augmentait, les épaules se tassaient, s'enfonçaient dans le sol, disparaissaient. Olfan guidait son esquif sur le plat pays. Ses narines frémissaient. L'odeur du sel et des goémons devenait presque palpable bien avant que n'apparaisse, dans le tremblé du lointain, la grande cour des vagues.

Il fallait que l'esprit s'accoutume à cette vision. Révélé brusquement, l'infini peut ébranler jusqu'à l'âme.

Au bout d'un temps, le regard rencontrait des obstacles. Des formes vaporeuses s'inscrivaient à la lisière de l'eau et du ciel. C'était un navire marchand, que l'on n'avait pas vu d'abord en dépit de sa carrure. C'était une frégate, toutes voiles dehors, découpant l'horizon en petits morceaux de puzzle. C'était un cachalot, projetant sa masse énorme dans l'air marin pour bâtir en retombant des cathédrales d'écume.

Olfan gagnait la haute mer. La côte s'estompait derrière lui. La ligne plane de l'horizon formait à présent un cercle parfait dont il était le centre. Il s'enfonçait dans cet espace dépourvu de repères. Pour autant, les scènes animées sur la ligne de coupe n'en demeuraient pas moins lointaines, immatérielles. Olfan était seul avec des images qui pouvaient aussi bien être nées de son esprit.

Seul le sillage du petit voilier attestait d'un mouvement. On ne devait pas se trouver si loin de la côte puisque des mouettes passaient encore, lâchant des éclats de voix éraillée. Ceux-ci ricochaient sur le pont, glissaient contre le mât en chuintant, s'engouffraient dans les oreilles.

Olfan affalait la voile et se laissait dériver. Allongé sur le dos, les bras en croix, paupières mi-closes, il perdait la notion du temps et de l'espace. Il sentait sous lui la poussée, énorme et retenue, de gouffres profonds. La respiration de cette masse colossale faite d'eau, de sel, de végétaux et de créatures marines ballottait à peine son embarcation, lui causant une légère sensation de vertige.

Au-dessus, le ciel chassait des bancs de nuages. Formes blanchâtres, tantôt replètes, tantôt maigres et échevelées, cavalcadant à l'aplomb de sa position. Des visages lui apparaissaient : leurs bouches remuaient curieusement, leurs yeux s'agrandissaient. Le vent forcissait, et tout ce monde penché sur lui redevenait nuages.

Le bateau tournait lentement sur son axe. Des courants le portaient durant quelques mètres, des vents contraires le cueillaient, déviant plusieurs fois son itinéraire somnambulique.

Lorsque le soleil menaçait de craqueler sa peau, Olfan s'asseyait, étourdi. Il levait les voiles sans douter de la direction à prendre pour regagner la côte. Le mur se dressait au bout du parcours, il lui suffisait de se laisser guider. Même lointain, même invisible, le mur était plus fiable qu'une boussole. Où qu'il se trouvât, par un instinct qu'il tenait depuis l'enfance, Olfan savait lire dans l'espace la position exacte de l'édifice.

Il calait son cap sur la terre, tournait le dos à la fresque vaporeuse plantée sur l'horizon. Là-bas, le navire marchand poussait toujours sa masse épaisse, la frégate découpait des puzzles d'écume, et le cachalot, inlassablement, édifiait des cathédrales éphémères.

La côte se matérialisait. Le plat pays surnageait, tapis d'herbe rase jeté derrière l'étale grise.

En découvrant par la mer cette plaine striée de canaux innombrables où des collines s'affaissaient sous les assauts du vent, Olfan concevait la raison d'être du mur. Hommes ou dieux, ceux qui l'avaient érigé avaient compris ce qui nécessiterait plusieurs millénaires de sciences balbutiantes et de régressions obscurantistes. Les pères du mur savaient que le plat pays, un jour, serait submergé. Un jour, ce bout de monde, ces landes, ces villages, ces cités et ces forêts dormiraient au fond des eaux. Dès lors, le mur. Pour protéger quoi ? Pour sauver qui ? Olfan épuisait les conjectures comme on effeuille une marguerite.

Les cheveux battant au vent, la main négligemment posée sur le gouvernail, il avalait à pleins yeux l'image de ce port qui approchait. Ce port qui bientôt n'aurait plus de raison d'être. Qui appartenait déjà au passé. Comme la ligne d'horizon. Comme les images. Comme la ville. Comme les friches. Comme Olfan lui-même.

La rumeur de la ville avait atteint son paroxysme. Les rues sifflaient, chantaient, tonitruaient au passage d'ouvriers hardis. Le pavé retentissait du trot des attelages et du roulement des charrettes. Comme chaque matin avant huit heures.

Olfan voguait en plein rêve, couvertures relevées jusqu'au front. Il n'entendait pas le choc des pierres à son volet, lancées par des jaloux espérant le tirer du sommeil. Quelques rires grinçaient là derrière ; lui ne percevait qu'un brouhaha velouté, plus doux qu'une berceuse. Comme chaque matin avant huit heures.

En montant une pleine panière de blouses au grenier, Altamaria, lingère, fit halte sur le palier qu'elle partageait avec l'Arpenteur. Elle posa son chargement, inspira fortement, et tambourina : « L'heure ! », tapa du pied sur le plancher : « On se lève, monsieur mon voisin ! », tambourina encore : « Le soleil n'attend pas ! » Lorsqu'elle distingua quelque chose qui ressemblait à une plainte, ou à un grognement de bête réveillée, elle récupéra sa panière et poursuivit l'ascension en sifflotant.

Une fois redescendue, la panière vide, elle s'approcha de la porte de l'Arpenteur, y colla son oreille et, percevant des froissements d'étoffes, chuchota quelques provocations salaces, invitant celui qui s'habillait à ouvrir. Un juron pâteux la renvoya vers son lavoir, ce qu'elle accepta en laissant tintinnabuler son rire clair dans l'escalier.

Maugréant tantôt après lui-même, tantôt après l'audace d'Altamaria, Olfan pensait à toutes les fois où il avait ouvert. Ce simple geste les emmenait très loin ; ils ne le regrettaient jamais. Hélas, ce matin-là, le soleil était déjà haut perché, et si la lingère ne regardait pas au temps perdu, le mur, lui, n'attendait pas.

L'uniforme d'un Arpenteur était le plus simple au monde. De bas en haut, nulle parure ni fioriture. L'administration n'imposait ni la coupe ni le prix ; seule la couleur importait, et elle devait être vert bouilli. Pour imiter la couleur des herbes dans la friche. Afin de surprendre les avaries sur le mur, les Arpenteurs avançaient camouflés. Les fissures n'apparaissaient que dans des conditions de silence et de solitude extrêmes. Comme si l'édifice, du haut de sa fierté millénaire, rechignait à montrer ses faiblesses en public. Le vieux titan craquait dans l'ombre. La fatigue s'emparait-elle de lui, il observait les alentours et, lorsque tout danger d'être surpris semblait écarté, il s'autorisait une lézarde, lâchait un peu de mortier, laissait filer une pierre taillée. D'où le pas léger de l'Arpenteur, son silence et son uniforme terne.

Le sifflotement dont la rumeur populaire dotait le personnage de l'Arpenteur confinait à la légende. De même l'air inspiré façon poète, nez au vent, songeant aux muses. Durant le service, l'éboulement d'un immeuble à vingt mètres ou le viol d'une jeune femme sur son chemin n'auraient pu le détourner de son objectif.

Sans doute le comportement des Arpenteurs dans la vie civile renforçait-il cette impression d'oisiveté permanente. Car leurs nerfs, soumis à rude épreuve durant l'exercice de leurs fonctions, se relâchaient. Selon leurs natures respectives, les Arpenteurs se révélaient alors violents et débauchés, ou rêveurs irrécupérables.

Chacun gardait en mémoire la Geste de Gorli, l'Arpenteur aux mains en forme de battoirs. Ses virées dans les tavernes, au cœur de la nuit, avaient effarouché une génération de soiffards. Gorli n'était pas mauvais bougre, au fond ; il aurait laissé faire sans broncher le joli cœur décidé à lui emprunter sa femme pour la soirée, mais il ne supportait pas qu'un autre portât le regard sur son verre de mousse. Gorli avait démoli des tablées entières de buveurs juste parce que des yeux s'étaient posés, furtivement, sur le rebord de sa chope. Gorli veillait sur elle comme si son intimité la plus secrète y avait trouvé refuge.

Prudemment, Olfan glissa un œil, puis deux, par l'entrebâillement de sa porte. Le palier embaumait la lessive mais semblait abandonné. Il lui fallait inspecter les lieux car Altamaria, lorsqu'elle avait faim de son corps, lui tendait des embuscades. Il n'avait jamais pu lui résister bien longtemps. La lingère possédait sous ses vêtements odorants des trésors de rondeur que les mains d'Olfan caressaient en se pâmant d'extase. Ses paumes frémissaient comme de petits chiens goulus, ses phalanges craquaient d'aise, la pulpe de ses doigts fondait au contact de la belle chair. Tel était pris Olfan, qui ne savait dire non au plaisir. Ces préliminaires engageaient les deux voisins à poursuivre ailleurs l'exercice, et, souvent, c'était dans la chambre de l'Arpenteur qu'ils atteignaient le ciel de leurs ébats.

L'appartement d'Altamaria constituait un territoire sacré. Interdit à Olfan. La raison de cette interdiction tenait à l'état civil de la lingère. Officiellement mariée, celle-ci vivait seule depuis que son époux, victime d'une maîtresse possessive, demeurait séquestré avec interdiction absolue de voir Altamaria et même d'entrer en communication avec elle. Cette rivale odieuse, qui utilisait la clé de l'appartement, venait encore contrôler à toute heure les mœurs de la lingère. La surprenant au lit avec un autre, la furie aurait tué Altamaria, puis son mari. Elle n'aurait pas supporté que son amant soit déshonoré.

Parce qu'elle craignait la maîtresse de son mari, Altamaria se barricadait à double tour dès lors que, fatiguée de sa journée de labeur et comblée par ses ébats avec Olfan ou un autre, elle rentrait au foyer. Avant de se coucher, elle tendait des pièges dans l'espoir de blesser sa rivale. Puis elle s'endormait comme une souche.

L'autre, déjouant les pièges d'Altamaria, venait chaque nuit. Elle l'aurait exécutée si elle n'avait pas fondu, âme sensible sous sa carapace de prédatrice, devant l'expression angélique du visage endormi. Altamaria souriait dans son sommeil. Elle était prise dans un songe agréable, le même chaque nuit : de grand matin, avant de partir au travail, elle découvrait au détour d'un couloir le corps sans vie de sa rivale, empalée sur une fourchette, étranglée par une corde à linge, décervelée par une soupière.

Le palier semblait désert. Olfan, du bout du pied, pressa sur la latte qui grinçait le plus. Si Altamaria se tenait quelque part, cachée dans un recoin obscur de l'escalier, elle se débusquerait. Olfan refermerait instantanément sa porte, puis il emprunterait la voie des airs pour gagner la rue, et s'y noyer.

À plusieurs reprises, le pied d'Olfan extorqua un couinement au plancher. Le silence lui répondit. L'Arpenteur alors, oreilles grandes ouvertes, œil acéré scrutant la pénombre, tira la porte après lui et franchit comme en rêve la volée de marches qui conduisaient vers la rue.

Olfan avait endossé un manteau gris et coiffé un chapeau à larges bords, de manière à ne pas exhiber son uniforme en public.

La jalousie guettait à chaque coin de rue. Elle sévissait à tout âge, comme l'asthme ou les allergies. Certains individus, atteints dès la prime enfance, possédaient l'endurance nécessaire pour jalouser jusqu'à leur dernier souffle. D'autres, que la grâce avait épargnés au départ, pouvaient être frappés brusquement par le mal. Son objet variait autant que les modes, mais jalouser l'Arpenteur de son quartier était un sentiment commun, que certains pouvaient développer jusqu'à l'excès. Les Arpenteurs apprenaient à s'en protéger. Et ils ne connaissaient qu'une seule riposte : la cogne. Aussi les jaloux n'avaient-ils qu'à bien se tenir lorsque leurs chemins se croisaient. Car les frappes franches des Arpenteurs causaient plus de dégâts que les coups bas de leurs adversaires.

Le ciel resplendissait. Un nuage minuscule, perché au bord d'un toit, hésitait à s'élancer dans le vide. Quelques Arpenteurs pressés croisaient Olfan, silhouettes longilignes engoncées dans des manteaux hors saison. On se reconnaissait sans peine. Des salutations s'échangeaient, discrètement. Il y avait différentes familles d'Arpenteurs. Leur identité perçait sous le costume. Les plus petits étaient généralement les plus souples : il leur fallait compenser le handicap par une élongation maximale durant l'exercice. Ils en gardaient au quotidien une langueur nonchalante, un bondissement chronique de toutes les articulations qui faisait tressauter n'importe quel costume. Les Arpenteurs de haute taille conservaient à l'état naturel une rigidité caractéristique. Que leur silhouette fût corpulente ou effilée, leurs épaules saillantes ou recroquevillées au-dessus de leur poitrine, les Arpenteurs adoptaient une démarche parfaitement équilibrée. Ces détails morphologiques n'apparaissaient qu'aux autres Arpenteurs, le commun des mortels ne possédant pas le dixième de leur faculté d'observation.

L'immeuble d'Olfan n'était guère distant de la friche. L'itinéraire le plus court traversait le Forum des Bâtisseurs, une place très animée durant la matinée. Des camelots y exhibaient des babioles à un public de vieilles gens et de touristes. Olfan se faufilait parmi eux. Retenant d'une main son grand chapeau rivé sur le crâne, il écartait le badaud avec l'autre, doucement mais fermement. Il arrivait que cette main débusque un jaloux de sa connaissance, qui se payait du bon temps à observer le détroussage des naïfs. Cette rencontre mettait l'Arpenteur en joie : abusant de son anonymat, il imprimait une claque magistrale sur la nuque du jaloux et détalait à toutes jambes.

Nul fâcheux n'apparut ce jour-là pour aiguiser la forme du jeune homme. Les camelots, du coup, lui semblèrent manquer d'entrain. Il parvint sans encombre de l'autre côté du Forum. Quelques immeubles masquaient la friche, bordant des voies désertées par le trafic. Cette zone endormie en bout de ville n'ouvrait ses paupières que lors des Fêtes de la Rénovation. Elle devenait pour une nuit royaume de bombance. On investissait les immeubles, on amenait des braseros dans les arrière-cours et on dansait jusqu'au matin.

Passée l'ultime demeure, Olfan fit quelques pas sur l'herbe. Il ôta religieusement son chapeau, fit glisser son manteau, puis dissimula cette panoplie dans les herbes à ses pieds.

Un vent léger coulait le long du mur. Le jeune homme en inspira plusieurs goulées tandis que la ligne déjà élevée de son corps prenait encore de l'altitude. Par un patient travail de relâchement musculaire, les Arpenteurs s'allongeaient de plusieurs décimètres. Au plein de son exercice, Olfan mesurait deux fois sa taille. Dès lors, ausculter le géant de pierre devenait un tout petit peu moins utopique.

Pour se donner du cœur à l'ouvrage, il fit craquer quelques articulations sonores. Puis son service débuta. Le parcours était délimité par deux bornes roses distantes de deux kilomètres. La première dépassait à peine une touffe d'orties, champignon rose vif auréolé de vert défraîchi. À gauche, la direction à suivre. Le regard braqué vers le mur, le pas lent et régulier, Olfan démarra son inspection. Les deux cents premiers mètres défilaient sans surprise. La surface en cet endroit représentait une page blanche, dénuée d'aspérités. Y déceler la présence d'une lézarde, si infime soit-elle, relevait du jeu d'enfant.

Puis l'exercice devenait moins évident. La couleur de la pierre, plus foncée, et sa consistance granuleuse rendaient l'observation complexe. Certains blocs taillés présentaient des irrégularités. Des veines capricieuses que le burin n'avait pu soumettre bosselaient la surface du mur. Passé le premier kilomètre, la friche longeait une zone industrielle. Le beige de la pierre taillée virait au gris ; les jointures avaient cette noirceur que l'on trouve sous les ongles crasseux. Olfan ralentissait le pas. Il avait souvenir de fissures sournoises logées dans cette zone. De ces avaries rampant sous la couche grise, ridant à peine la surface, en attente d'un plus ample dégât. Un Arpenteur ne se limitait pas au seul domaine du visible. Il devait appréhender aussi le sens caché des ondes de couleur et l'humeur changeante de la pierre.

Ensuite il restait à parcourir une portion infime qui jouxtait le quartier des fleuristes. On y produisait en grandes quantités ces végétaux multicolores et odorants. Les jeunes filles les arboraient volontiers, fixés de façon plus ou moins savante à leurs toilettes. Les femmes plus mûres en décoraient leur logis. Tout professionnel que fût son regard, Olfan appréciait ce dernier tronçon du parcours. Le mur y paraissait radieux. Après la borne, le jeune homme s'accordait une pause. Il retrouvait pour quelques instants sa taille normale, courait chez le premier fleuriste et choisissait une tulipe à la robe vive pour Altamaria.

La lingère n'emportait jamais les fleurs à son domicile, par crainte de trahir sa relation avec l'Arpenteur. C'était chez lui qu'échouaient les tulipes. Les premières avaient trouvé place sur un buffet au salon. Il fallut ensuite libérer de l'espace ; les fleurs avaient grimpé sur les armoires, sur les tables, sur le rebord des fenêtres. Le sol en était revêtu. Les amants devaient emprunter à travers leurs rangs un sentier étroit pour gagner la chambre du jeune homme.

Olfan n'avait plus que cinquante mètres à couvrir jusqu'à la borne. S'il avait eu la faculté de se déconcentrer, il aurait entendu les cris d'Altamaria. Il aurait senti les chatouilles dans ses côtes, glapi de douleur tandis que les ongles de la lingère pinçaient la chair de ses fesses. Il l'aurait vue enfin, rouge et bienheureuse, essoufflée d'avoir couru jusqu'à lui. Il ne remarqua rien de tout cela, car une fois sa tournée achevée, lorsqu'il retrouva sa taille, perdit le mur des yeux et s'intégra de nouveau dans son environnement naturel, la lingère avait refréné ses ardeurs. Elle attendait, les fesses appuyées sur la borne rose, tellement béate que ses mollets ignoraient la brûlure des orties.

Olfan inspecta vivement les alentours.

« Altamaria ! Tu risques la mort en te montrant avec moi ! La furie te tuera si elle t'aperçoit ! »

Son amie s'empara de la tulipe qu'Olfan oubliait de lui tendre, posa un baiser sur ses lèvres et glissa la fleur dans son corsage :

« Il n'y a plus de furie. Plus d'interdits, plus d'abstinence au coucher du soleil, mon amour. J'ai retrouvé mon mari ! »

« Vin de menthe ? Bière d'orange ? Liqueur de moelle ?
Ne te refuse rien, c'est moi qui régale et mon histoire est
longue. Tu auras le gosier sec avant d'en avoir entendu la
moitié. »

Olfan soupirait depuis une heure pour qu'Altamaria lui
raconte les dernières péripéties de sa vie amoureuse. Mais
la lingère faisait durer le plaisir. Elle avait inspecté une
douzaine d'auberges avant de choisir celle qui lui conve-
nait. Le diable seul devait comprendre ce que celle-ci possédait de plus que les autres. Olfan n'y voyait que tables
et chaises chargées de buveurs, aussi bruyants qu'ailleurs.
Quant au duo clavecin et trompette qui accompagnait
une strip-teaseuse à petites fesses, il ne jouait que des airs
très communs.

Un serveur apporta deux blanc-fraise qu'Altamaria
régla sur-le-champ. Puis elle prit une profonde inspiration, logea confortablement sa poitrine sur la table, et
entreprit de satisfaire l'impatient :

« C'est arrivé ce matin, juste après que tu m'as ren-
voyée à mes blouses. Têtue comme tu sais, j'étais décidée
à te coincer — et je le suis toujours — au bas des marches.
La porte de l'immeuble était grande ouverte sur la rue.
Le vent la faisait battre. Je m'approche dans l'intention
de la fermer, je glisse un œil au-dehors, par pur réflexe, et
j'aperçois ma morue sur le trottoir d'en face, la langue
fourrée dans la bouche de l'apothicaire. La main collée

sur son bas-ventre, elle besognait le type en pleine rue comme la madone des bordels. »

Les verres, sans attirer beaucoup l'attention, s'étaient vidés. Altamaria commanda une seconde tournée. Elle engloutit sa part avant que le serveur ait pu s'éloigner, commanda aussitôt un troisième blanc-fraise et replongea son regard dans celui de l'Arpenteur.

« La Garce, au beau milieu d'un trottoir qui rougissait de honte, était en train d'embobiner le bourgeois comme elle l'avait fait avec mon homme. Lui, bientôt mûr, a poussé les volets de son commerce, rajusté son chapeau, et s'est mis à lui coller au train dans la première ruelle qui s'offrait. Les abeilles me sont montées à la tête. Il me fallait de l'air frais : en trois pas me voilà sur le trottoir d'en face, en quatre dans la ruelle où Garce et bourgeois trottinaient à fesses-que-veux-tu. Peu de monde à cet endroit. Seulement, de loin en loin, quelque badaud levant des yeux attendris sur ce couple frais éclos. J'avais envie de mordre. J'aurais grignoté le nez de tous ces esclampés si mes tourtereaux n'avaient pas filé si vite. Les venelles obscures succédaient aux venelles obscures. Je pistais à bonne distance pour ne pas attirer l'attention. Le trajet durait. Mes pieds butaient contre des pavés déchaussés, contre des herbes grasses que le mauvais entretien de la rue laissait proliférer. Quand la Garce a fait signe à son bourgeois de la suivre sur le perron d'une maison jaunâtre, les abeilles ont remis ça. L'endroit empestait le mauvais goût de la haute : une tourelle vert pistache coiffait la construction, spacieuse et plutôt neuve. Une grande face jaune avec des fenêtres qui vous jetaient un regard acide. Je savais que mon homme vivait là, quelque part dans un coin de cette immonde garcière. Et j'avais encore plus envie de mordre. »

Ils se sont engouffrés à l'intérieur. Avant que la main mécanique ait tout à fait refermé, j'étais dans le hall. Désert, à l'exception d'un portemanteau. Le carrelage gris clair et souple sous le pied, qui ne reflétait aucune image, ressemblait à une gomme sale. Un escalier couvert de velours rouge — comme si les escaliers pouvaient prendre froid ! — menait vers l'étage. Le rire de la Garce et le halètement rauque de l'apothicaire cascadaient jusqu'à moi. Une porte a claqué. Un lit s'est mis à grincer, d'abord de manière désordonnée, puis de plus en plus régulièrement. J'avais un peu de temps.

Intérieur cossu, pièces vastes. Cette bourge à fesses rondes n'était pas la plus malheureuse des guenons. Elle habitait seule. On remarque facilement ces choses-là, il y a toujours des indices pour trahir les habitudes des gens. La décoration des murs, des tapisseries, des meubles : tout ça n'avait pu être choisi par plusieurs personnes. Je sais comment ça fait d'aménager à deux ; avec mon homme on s'est pas mal cognés pour des histoires de bibelots ou de papier peint. Lui avait un faible pour la teinte lie-de-vin et il aurait tapissé les murs avec les meilleurs crus de sa cave, tandis que moi je voyais plutôt la cacahuète : appliquée en couche épaisse sur les murs, la cacahuète diffuse un parfum agréable et protège les jeunes ménages du mauvais sort. Lui et moi, on a copieusement débattu, et boudé beaucoup, avant de trouver un compromis : le jus d'aubergine. Cette teinture-là, on ne l'appréciait ni l'un ni l'autre. C'était au moins un terrain d'entente.

Cette garcière ne possédait qu'une seule âme. Sombre et morne comme un puits abandonné. En moins de cinq minutes, j'avais fouiné dans toutes les pièces et je m'effrayais de ne trouver nulle trace de mon homme.

Revenue dans le couloir principal, j'ai longé la chambre. Les tourtereaux approchaient de l'extase. Le sifflet rauque de l'apothicaire avait perdu de sa force, il poussait de petits glapissements presque canins. Le bois du lit a choqué plusieurs fois contre le mur. Le sommier a grincé encore un peu. Après, je n'ai plus rien entendu, si ce n'est, dans le silence de la chambre, un ronronnement d'abord timide, puis, de seconde en seconde, plus affirmé : l'apothicaire s'était mis à ronfler.

La poignée de la porte a tourné. Le temps de me caler dans l'angle de l'escalier, la furie posait déjà le pied dans le couloir. Robe de chambre bleue, pantoufles roses, chevelure dévastée comme un champ de blé après l'orage. Mes dents s'allongeaient à la vue de cet épouvantail repu de plaisirs troubles.

En moins de temps qu'il n'en faut pour claquer la langue, elle avait poussé la porte d'un escalier et s'était enfoncée dans l'obscurité. L'escalier, j'en ai pris conscience lorsqu'à mon tour je m'y suis engagée, exhalait une odeur de terre mêlée à quelque chose de plus désagréable. Ça tenait à la fois de l'humidité, de la sueur et des excréments humains. L'odeur s'est intensifiée quand j'ai pénétré à l'intérieur d'une cave voûtée, faiblement éclairée par quelques bougies.

La Garce me tournait le dos. Mains sur les hanches, campée sur ses jambes dans une posture autoritaire, elle faisait face à une dizaine de bonshommes vautrés à même la terre battue. Parmi eux, amaigri mais toujours gaillard : le mien !

Et la typesse qui leur envoyait à la figure : « Encore là ? Vous ne mourrez donc jamais ! » ou quelque chose dans le genre, avec son accent de la haute, glacial et tranchant comme un rubis. Elle secouait la tête :

« Voilà des semaines, des mois que vous auriez dû mourir. Vous n'avez donc jamais faim ? Si quelqu'un se moque de moi ici, j'aimerais bien l'entendre. Allez, avouez ! »

Elle dansait d'un pied sur l'autre en agitant ses poings fermés.

« Si vous vous obstinez à durer, je n'aurai bientôt plus de place ! »

Sa voix devenait mielleuse.

« Imaginez un peu : j'en ai un là-haut, qui ne devrait pas tarder à vous rejoindre. Prétendrez-vous que cet homme trouvera ici les conditions idéales de recueillement pour passer de vie à trépas ? »

Mes ongles s'aiguisaient. J'avais des tranchoirs au bout des doigts, une baïonnette sur le front, de la dynamite au bord des lèvres. Un chaudron rouillé pendait au-dessus de moi. Chaudron décroché. Chaudron saisi à pleines mains. Chaudron sonnant sur le crâne de la Garce. Le temps d'un soupir de souris, l'affaire était réglée. Crevée la morue ! Exit la voleuse d'hommes ! Brûle en enfer ! Hourra ! Hourra !

Le serveur s'était approché d'Altamaria, craignant un malaise à la voir si congestionnée. En vérité, la lingère n'avait jamais tant respiré la santé. Elle commanda un nouveau blanc-fraise.

« Il l'avait plutôt joyeuse, mon homme. Son visage reprenait des couleurs, ça se voyait malgré cette crasse qui le couvrait de pied en cap. Ses compagnons sifflotaient entre leurs dents, l'œil rêveur et le genou mobile. Deux d'entre eux, bien grassouillets pour des séquestrés, se léchaient les babines en remuant la terre du bout de leurs chaussures. Ces mines de conspirateurs me portaient sur le système, j'avais quand même un cadavre en pantoufles roses sur la conscience ! Je me proposais d'envoyer dinguer tout le monde quand mon chéri m'a fait signe d'approcher. »

Les hommes avaient formé un cercle autour d'une chemise étendue sur le sol. Ils lorgnaient béatement cet habit aux quatre coins duquel des pierres étaient posées. L'un d'entre eux, une espèce de manche à balai portant monocle et barbiche défraîchie, s'est accroupi auprès du vêtement. Les autres m'ont encouragée à l'imiter. Me voilà donc recueillie au-dessus d'une chemise, dans une cave à l'odeur impossible, avec dix messieurs terreux comme des taupes.

Le barbichu a fait rouler les pierres, puis il a tiré la chemise par le col, découvrant une ouverture étroite. Le temps que j'avale un peu de salive, il s'était faufilé à l'intérieur. Seule sa tête dépassait encore. On lui a passé une bougie, et la tête a suivi le reste. Il devait y avoir de la place là-dessous parce que mon mari, tout doucement, me poussait dans le dos pour que je descende.

Le passage s'élargissait. La bougie éclairait des racines terreuses, des coulées de sable, des blocs de granit pris dans la glaise. Il y avait aussi de minuscules éclats de couleur vive. Des tessons verts, jaunes ou rougeâtres, qui pointaient comme de petits becs. J'entendais derrière moi des piétinements, et plusieurs respirations chuintantes. Celle de mon homme, tout près, sifflait — je me plaisais en tout cas à l'imaginer — de manière particulièrement obscène. Alors, malgré l'étroitesse du boyau, je dandinais des fesses pour l'encourager.

Pour sûr, la santé ne devait pas étouffer les gars. J'aurais mieux fait de les sortir à l'air libre pour leur offrir une galette et du café ! Mais ils avaient l'air si joyeux à l'idée de me montrer leur souterrain. De vrais gamins, excités en diable.

Au bout d'un temps, j'ai demandé à mon homme comment ils avaient fait disparaître les déblais sans attirer l'attention de la Garce. Lui, tout naturellement, il s'est tapoté le ventre en souriant. Gourmand.

Le barbichu n'avait pas dû beaucoup apprécier la nourriture parce qu'il flottait pas mal dans ses vêtements. Il s'est arrêté, a levé un doigt bosselé vers le plafond et m'a soufflé sur l'air d'une confidence :

« Si mes calculs sont exacts, le mur s'élève quelque part au-dessus de nous. »

Il a posé son autre main sur mon épaule et a pressé doucement.

« Ses fondations ne sont pas si profondes qu'on le pensait. Autrement dit, nous passons de l'autre côté ! »

Ses yeux brillaient comme des loupiotes. Il arborait la mine réjouie de qui vient de colporter un commérage explosif. Il a gloussé un peu, toussé deux ou trois fois, puis a continué à marcher, alerte et souple comme un jeune homme. Mon mari m'a pincé les fesses — il avançait de plus en plus collé à moi — et il a glissé dans mon oreille :

« C'est un archéologue. Il est fin fou depuis qu'on a découvert ça. »

Il sentait mauvais, mais je voulais le rassurer quant à mes sentiments. Alors j'ai pris sur moi : je l'ai embrassé sur la bouche, comme ça, furtivement, parce que les autres suivaient.

Au lieu de remonter vers la surface, le souterrain tirait tout droit. Sur les murs, les tessons multicolores avaient essaimé. Ils formaient une carte du cosmos, comme on en trouve chez les astrologues ou les cartomanciennes. Nous sommes arrivés dans une cavité suffisamment vaste pour que la plupart d'entre nous puissent y tenir. Les deux hommes grassouillets avalaient de pleines poignées de terre dans l'intention d'agrandir un peu notre espace vital. Leur travail était propre et leur joie tellement évidente que je prenais du plaisir à les voir faire.

L'excitation se lisait sur tous les visages, il fallait que je regarde partout. Le plafond, les parois, le sol. Au premier coup d'œil, j'étais tellement pressée que je n'ai rien vu. Mes yeux ont glissé sur le décor comme des semelles trop lisses sur le pavé mouillé. Je ne voulais pas décevoir. On ne sait jamais ce que la déception peut provoquer chez des hommes longtemps privés de soleil. Alors j'ai recommencé. Et j'ai vu ce qu'il fallait voir. Des morceaux de vases, d'assiettes, de plats, émergeaient de la glaise au-dessus de nous, autour et par terre. Sur une étagère creusée dans la paroi, la bougie éclairait une collection de tasses et de coupelles à peu près intactes. Le barbichu veillait sur ces débris comme une poule sur sa couvée. Accroupi auprès d'eux, il laissait passer juste assez de lumière pour que je puisse observer — sans toucher! La plupart des pièces étaient décorées. On y voyait les gens de l'époque (laquelle?), entièrement nus, occupés à chasser, à prier un dieu quelconque, à faire l'amour. Le sexe des hommes était minuscule. (Je me demande si les archéologues considèrent sérieusement ces gens-là, et leur instrument si peu adapté à la reproduction, comme nos ancêtres.) Ce qui intéressait le barbichu, plus que les scènes de chasse, les bigoteries, et à mon avis beaucoup plus que la taille du sexe ancestral, c'était le décor. Comme il ne voulait pas que je m'approche trop des coupelles, il en a soulevé une entre son pouce et son index — il ressemblait à une bourgeoise portant une tasse de thé à ses lèvres — et m'a fait signe de regarder au plus près — sans toucher! Là encore, je ne savais pas ce qu'il fallait que je voie. Ni s'il fallait dire quelque chose. Les ancêtres batifolaient dans une plaine, près d'une rivière, je crois. Collines. Bosquets de bouleaux dans le fond. Et puis, c'est à peu près tout ce que je distinguais. Le barbichu ne bougeait pas. Le décor ne m'inspirait rien, mais vraiment rien à dire. Je me suis recentrée sur les hommes nus. Ma vision s'est troublée. La scène glissait de gauche à droite, de droite à gauche, de plus en plus vite. Je me suis rendu compte que le barbichu secouait la coupelle pour que je me décide à parler.

« Alors? »

Il pensait que j'allais me mettre à table, et j'aurais sincèrement voulu lui faire plaisir, lancer une phrase intelligente sur ce satané décor. Mais comment trouver celle qu'il attendait ? Les professeurs exigent toujours des réponses précises, et l'imprévu leur semble immédiatement élucubratoire.

Je ne disais toujours rien. Les autres respiraient à peine. Le barbichu, dont les yeux disparaissaient derrière des sourcils foisonnants, avait reposé sa coupelle. Un souffle a parcouru son visage, agitant tout ce petit paysage de broussailles. Ses yeux brillaient, sa bouche s'était ouverte d'une oreille à l'autre, et c'est dans un éclat de rire qu'il a posé sa question :

« Ne voyez-vous donc pas ce qui manque à notre décor ? »

Le mur. J'aurais voulu répondre à présent. Le mur ! Je me suis sentie gourde et j'ai maudit l'anatomie intime des ancêtres, qui, pour être ridicule, m'avait tout de même enlevé la réponse de la bouche.

Convaincre ces hommes gagnés par l'ivresse des profondeurs qu'il y avait une vie hors du trou, hors de la cave et même hors de la garcière, m'a demandé beaucoup de cœur. En quelques minutes, j'ai promis plus qu'en dix ans de ma vie : de la nourriture, de l'argent, des voyages, des plaisirs louches, de la terre, beaucoup de terre. J'ai promis tant et plus là-dessous que j'en oublie sûrement. Mais les promesses extorquées à une femme par dix hommes sales à quatre mètres de profondeur ne valent pas plus que du vomi de lapin, et je mordrai le premier de ces messieurs qui s'avisera de me réclamer des comptes !

Dans la cave, un apothicaire en larmes nous attendait. Ou ne nous attendait pas. Agenouillé près de celle qui lui avait procuré un plaisir rapide mais inoubliable, une pan-

toufle rose pressée contre ses lèvres ardentes, le dernier
amant de la Garce maudissait le monde entier. Ses yeux
pleuraient des larmes aux dimensions d'agates, ses narines
produisaient des sifflements suraigus et de sa gorge montaient des couinements de chiot apeuré.

Les hommes sont allés vers lui. Leur vingtaine de mains
paternellement posées sur ses épaules, sur son dos, son
cou, ses cheveux, son front, ou sur tout ce qui pouvait
encore constituer un contact avec ce corps en soubresauts,
ils lui ont expliqué à plusieurs voix — douces ! — la triste
affaire. Ce à quoi la Garce le destinait. Ce qui s'était passé
tandis qu'il dormait comme un chérubin. Leurs doigts
pressaient sa peau, ses muscles. Ils tentaient de communi-
quer un peu de chaleur à cet individu meurtri, ce petit
dernier des amants de la Garce, leur cadet inconnu. Leurs
paroles devenaient des notes. La fin des phrases vibrion-
nait longtemps, avant que d'autres phrases ne se posent
là-dessus, pareilles à un baume apaisant. J'en avais les
larmes aux yeux. Dix voix d'hommes — douces ! — mur-
murant dans une cave, même nauséabonde, peuvent faire
apprécier les chants polyphoniques au moins mélomane
d'entre nous !

Lorsque les voix sont arrivées en bout d'histoire, le
silence est devenu pesant. Épais. Presque boueux. Une
gorge, dans le fond de ce silence, étouffait des sanglots
venimeux. Des paroles coupantes ont repoussé mes
compagnons à bonne distance. Quelques éclats me sont
parvenus, des morceaux plus considérables ont suivi,
intentionnellement projetés vers moi. Je m'étais fait un
ennemi mortel en délivrant mon homme, pourtant je
n'arrivais pas à prendre au sérieux ce pantin rougeaud.
De la salive passait le bord de ses lèvres, roulait dans son

cou tandis que sa poitrine se soulevait par saccades. Ce halètement avait quelque chose d'effrayant et de pitoyable.

À bout de force, l'apothicaire a rampé vers l'escalier. Nous l'avons suivi de près, car nous avions peur d'un mauvais tour : la clé de la cave était restée sur la porte.

Une fois sortis de la garcière, nous l'avons laissé à genoux sur le trottoir. De la bave écumait au coin de ses lèvres. Un chien errant lui reniflait l'arrière-train.

C'est l'image que j'ai conservée de cet homme. Mon ennemi.

Le matin suivant, Olfan s'étonna de ne pas trouver la lingère derrière la porte, pimpante et lubrique, prête à le détourner de son chemin. Une toux masculine roula dans l'appartement voisin. L'homme d'Altamaria était de retour, Olfan devrait s'habituer à cette idée.

L'Arpenteur pénétra dans la rue comme dans un décor inconnu. C'était la même et pourtant tout paraissait changé. Des charrettes passaient, encombrées d'enfants sauvages, mains liées dans le dos, que des maîtres furieux ramenaient à l'école. Des piétons s'interpellaient, s'embrassaient bruyamment sur les deux joues, puis se séparaient le visage empourpré. Des femmes de la haute jetaient brusquement leur fourrure sur le sol, la piétinaient durant trois minutes et repartaient soulagées.

Le quartier voulait une Fête. Pareil remue-ménage ne s'était jamais produit depuis qu'Olfan arpentait. Ce phénomène le ramenait à une période lointaine de son enfance. Il devait avoir huit ans, habitait avec sa famille à quelques rues d'ici. Les affaires du père marchaient, sa mère n'avait d'yeux que pour ses deux gars. Déjà grand pour son âge, Olfan était respecté dans le secteur. Nul ne lui cherchait noise, car il avait laissé sur le carreau plusieurs champions de cour d'école. Provoqué, Olfan se plaçait face à son rival, reculait de quelques mètres et se propulsait vers l'avant pour percuter son adversaire avec la puissance d'un javelot. On avait compris qu'il valait mieux l'avoir dans son camp. D'autant qu'il savait aussi se montrer généreux : sa taille et l'envergure de ses bras lui permettaient de récupérer des balles, des poupées, des crayons lancés par mégarde sur le toit ou sur le rebord d'une fenêtre haute.

L'époque aurait pu être splendide si les horloges brusquement ne s'étaient mises à tourner à l'envers. Les gens commencèrent à vivre en désordre, prenant le jour pour la nuit, l'épouse pour le frère et le voisin pour un chien. Olfan ne s'en tira pas indemne. Il récitait ses leçons juché sur les épaules du maître d'école. Il brisait des lanternes avec un lance-pierres pour collectionner les plus petits éclats. À toute heure de la nuit, il se levait pour manger des soldats de plomb.

Alors, le mur consentit une lézarde. Une brisure minuscule, à peine une égratignure. Mais suffisante pour amorcer les festivités.

Le matin suivant, chaque chose avait repris sa place : les soldats de plomb dans leur boîte, le chien dans son panier, le voisin chez lui, Olfan à son pupitre et le lance-pierres au fond d'un coffre.

Olfan, cheminant dans une rue à la dérive, sentait la Fête remuer ses tripes. Cela le tiraillait vers le bas, le propulsait vers l'avant, le retenait. Cela gargouillait, sifflait, pleurait. Les intestins de l'Arpenteur organisaient un caprice. Leur tintamarre faisait écho à celui des autres intestins du quartier, qui eux aussi malmenaient leurs propriétaires. Les rates se dilataient, les foies produisaient des sons de crécelle, les colons ululaient à gorge déployée. Un seul mot surnageait dans ce vacarme, scandé à plusieurs voix par tous les ventres de la rue : « Ré-no-va-tion ! »

Olfan toutefois demeurait lucide : pour tous ici, le messager de vie, c'était l'Arpenteur ; s'il venait à être reconnu, il devrait supporter une pression énorme. Olfan, depuis ses débuts dans le métier, savait que les oiseaux de bon augure n'ont pas toujours la vie facile.

Il pressa le pas. Son seul espoir de repli : la friche. Se perdre dans le travail. Pour oublier le monde. Lorsqu'il scrutait la surface du mur à la recherche d'indices minuscules, Olfan devenait minéral, aérien, liquide, végétal. Il approchait le cœur de la matière, de toutes les matières.

Y parviendrait-il encore dans ces conditions ?

Ses boyaux jouaient à la balle avec son cœur. Et son cœur trouvait ça drôle.

À la borne rose, il inspira longuement l'air épais de la friche. Cela piquait un peu la gorge, mais le sang circulait mieux à l'intérieur de son crâne. Le vacarme avait diminué dans ses intestins. Sans doute pour mieux recommencer bientôt.

Il fallait profiter de l'accalmie. Olfan plongea des deux pieds dans la concentration. Son grand corps flageola un peu, sa taille s'allongea poussivement, puis il commença sa tournée en déroulant des pas lents et réguliers.

Ses doutes gisaient dans l'herbe auprès de la borne. Le vent les balaierait bientôt. Il avait confiance. Le mur ne l'abandonnerait pas.

Le géant de pierre n'était pas l'ennemi des hommes. Il ne se voulait ennemi de personne, d'ailleurs. Malgré sa taille et l'impression de force qu'il donnait, il restait attentif aux créatures qui remuaient à ses pieds. Rien ne le réjouissait comme le bonheur dégagé lors des Fêtes de la Rénovation. Car ce bonheur, lui le ressentait physiquement, sur son épiderme. Une sorte de chaleur, différente de celle du soleil. Plutôt vivifiante. Il en avait besoin pour soutenir le poids des ans. S'il oubliait parfois d'offrir aux hommes un prétexte à ces réjouissances, ce n'était pas méchanceté. Seulement distraction. L'âge. Et puis, gérer la joie dans tous les domaines agglutinés le long de son corps lui demandait une faculté d'organisation dont il n'était plus guère capable.

Cet Arpenteur, dont le regard le chatouillait depuis quelques minutes, lui inspirait de la peine. Le mur n'abandonne jamais ses serviteurs ; une fois encore, l'occasion était venue de le prouver.

Olfan n'avait parcouru qu'une centaine de mètres lorsque le mur lui fit de l'œil. Il arborait, posé sur sa blancheur immaculée, à peine éclos mais clairement visible, cet insecte rare et convoité par tout Arpenteur qui se respecte. Une lézarde. Petite, bien faite. Endormie semblait-il à la surface de l'immensité pierreuse qui lui avait donné vie.

Depuis longtemps Olfan ne croyait plus au hasard. Ces précautions qu'il observait pour débusquer les signes du temps sur le corps de son immense ami appartenaient au folklore. Comme le vert bouilli de son uniforme. Olfan le savait bien : l'Arpenteur ne délogeait pas l'avarie, c'est le mur qui la lui offrait.

Après avoir exhibé une fiche cartonnée, estampillée du cachet de sa Confrérie, il nota soigneusement l'emplacement de la lézarde. Puis il empocha fiche et crayon, braqua son regard sur le mur, et relança le balancement de son corps un instant interrompu.

Sa tournée d'inspection commençait à peine. Il lui fallait encore officier jusqu'au quartier des fleuristes, puis revenir sur ses pas, lentement. Zone sale et puanteur industrielle, mur jaunâtre aux traîtres reliefs, zone blanche immaculée, jusqu'à la borne, sans à-coups, sans laisser place à l'excitation qui dans son ventre avait succédé au malaise. Après seulement, il reprendrait sa taille normale et s'élancerait vers la ville.

Il ne crierait pas à tue-tête. Non. Il se dirigerait, à toutes jambes mais sans une parole, vers la petite estrade dressée sur le Forum des Bâtisseurs. Des jaloux le reconnaîtraient, ils essaieraient de l'empoigner pour lui ravir la nouvelle. Lui les ferait bouler à terre, prendrait juste le temps de leur briser quelques dents avec la pointe de ses chaussures. Il déboucherait sur le Forum des Bâtisseurs alors qu'une foule épaisse, avertie par les mille bruits que colporte un quartier, tremblerait au pied de l'estrade. Reprenant son souffle, replaçant une mèche folle sur son front, il gravirait les escaliers de bois laqué. De sa voix la plus claire, il prononcerait cette phrase chérie de tous, et qu'il aurait voulue beaucoup plus longue :

« Mesdames, Mesdemoiselles, Messieurs, citoyens et amis, je déclare ouvertes dans notre quartier les Fêtes de la Rénovation. »

Alors seulement, la foule exulterait. Des chapeaux, des baisers, des cris, des pleurs, des déclarations d'amour voleraient vers l'Arpenteur. Olfan, une fois de plus, serait le roi de la fête.

Ainsi se dérouleraient les choses. Comme à chaque fois. Comme à chacune de ses découvertes. Olfan connaissait toutes les étapes du rituel. Professionnel, il s'autorisa seulement un petit frisson de joie, replaça dans sa poche la fiche cartonnée et poursuivit son inspection sans trembler.

La nouvelle avait passé les portes, les portes avaient passé la nouvelle aux fenêtres, tout ce qui tenait lieu de passage avait vu circuler les mots annonciateurs de réjouissances. Des phrases s'étaient agglomérées sur les lèvres, elles y avaient bâti une rumeur. Et cette rumeur enflait à présent, joyeuse, immense, irrésistible. Elle courait les rues, elle résonnait aux porches des hôtels particuliers, investissait les arrière-cours, assourdissait les derniers badauds du Forum des Bâtisseurs.

Permission fut accordée aux employés de quitter leur poste avant l'heure. Les ouvriers laissèrent leur ouvrage, les lingères évacuèrent leurs lavoirs, élèves et professeurs interrompirent les cours. Gaillardement, ce petit monde laborieux ouvrit une parenthèse dans la monotonie des journées.

Les entrepôts désertés prenaient un air de fête. On avait accroché des lampions aux fils télégraphiques, des masques de clowns aux becs de gaz. Une foule ardente et sans classes, frémissante comme une mer prête à se lever, convergeait vers le mur. Là-bas, l'équipe des maçons, arborant le costume aux armoiries sable et gueules de la Confrérie des Bâtisseurs, s'apprêtait à officier.

Lorsque la lézarde eut disparu sous son pansement de plâtre, la Fête put débuter. Les rangs ondulèrent, se distendirent un peu. Des bouteilles circulaient. Les premiers baisers claquaient ; maladroits, ils atteignaient rarement leur cible.

Olfan était porté en triomphe. Il surnageait au-dessus de cette rivière en liesse. Dans les profondeurs de la foule, des jaloux lui naissaient, des yeux s'allumaient à sa vue, brûlant d'un feu mauvais. Ceux-ci devraient pourtant se contenir, car aux jours de Rénovation le roi de la Fête était intouchable. La vague qui le portait lui était tout acquise. Des admiratrices ferventes, dents aiguisées, ongles effilés, veillaient sur lui. Quelques hommes leur faisaient concurrence, qui convoitaient eux aussi le grand corps de l'Arpenteur.

La foule se fissurait. Certains groupes, certains couples croisaient en solitaire. Des baisers crépitaient. Des soupirs montaient, de plus en plus ardents. La Fête atteignait sa vitesse de croisière.

Olfan fut déposé dans une arrière-cour où des tables avaient été dressées. Il tituba un peu, leva les bras en signe de remerciement et s'avança vers le buffet pour inaugurer la collation. Comme une volée de flèches, des mains s'abattirent sur les assiettes, empoignèrent les verres. Des lèvres engloutirent aussitôt ce que ces mains, ce que ces verres avaient contenu. On se massait au bord des tables. Il fallait pousser, pincer, enfoncer les ongles entre les côtes de ceux qui gênaient. Lorsqu'on avait conquis une place avantageuse, mieux valait assurer sa prise pour résister aux terribles crocs-en-jambe qui mettaient hors d'état de nuire pour la soirée.

On laissait à Olfan un périmètre de sécurité à l'intérieur duquel il pouvait choisir sans combattre la bouchée qui le tentait. Lui, depuis cette bulle, observait son monde.

Mains et bouches poursuivaient leur entreprise de défrichage au-dessus des tables. D'autres plats étaient apportés, sitôt vidés, sitôt remplacés.

Olfan avait confiance. Rien de fâcheux ne surviendrait aujourd'hui. Il goûtait le plaisir de paraître tête nue au milieu de ses concitoyens. Il lui fallait faire un choix parmi les filles. Sous prétexte d'attraper une olive, ou un pruneau qui avait roulé sur la nappe, des luronnes se penchaient exagérément, lui présentant leurs croupes ou leurs poitrines mi-dénudées. Sans doute ces mouvements éveillaient-ils la tentation chez d'autres convives, mais le soir de la Rénovation nul ne s'aventurait sur les terres de l'Arpenteur.

L'attention d'Olfan s'arrêtait tantôt sur une petite femme rousse qui s'ingéniait à l'aguicher, une grappe de raisin enfouie entre ses deux seins ronds, tantôt sur une longue fille brune au regard langoureux qui s'enduisait le ventre et les cuisses avec du miel.

Olfan n'était pas pressé. Il avait encore faim, et la nuit tombait à peine.

Sur le terrain vague s'étirait une file de musiciens et de danseurs. Certains marchaient à pas lents sur quelques mètres, les yeux mi-clos, puis revenaient en arrière, inlassablement. D'autres demeuraient sur place, la pupille fixe et allumée, rivés à leur instrument comme à un fétiche. Il y avait des guitares et des tam-tams, des casseroles et des spatules. Cela produisait du son, peu importait la mélodie.

Ceux qui tenaient encore debout offraient leur torse nu à la vue de ceux qui, assis dans l'herbe, allongés dans les orties, agitaient encore un index pour suivre la cadence.

Certains observaient les étoiles avec des airs de poètes, d'autres menaient une discussion philosophique, s'exprimant surtout par gestes en raison du vacarme. D'autres encore, qui avaient abusé de leurs forces, ronflaient à tue-tête. Ceux-ci regretteraient d'avoir laissé filer la nuit.

Des couples tardifs se formaient. Ils gagnaient une zone plus obscure de la friche où les places étaient rares. Les premiers arrivés les vendaient chèrement. On devait parfois chercher refuge dans une ruelle éloignée, ou finir la nuit dans une chambre au centre-ville.

Olfan somnolait, un peu gêné par le poids des deux filles qui reposaient sur lui.

La longue brune au ventre collant de miel lui barrait la poitrine. Sa tête inclinée dans une posture romantique, elle couvait du regard le roi de la Fête en lui tapotant la lèvre inférieure du bout de l'index. Entre deux soupirs d'aise, elle répétait qu'il était son premier Arpenteur, qu'elle ne l'oublierait jamais, mais qu'ils ne devaient pas se revoir, non, que le moment devait conserver son auréole de sacré, qu'il leur fallait embaumer tout cela dans leur mémoire, oui, et ne plus rien dire, ne plus rien faire, plus jamais, pour le sacré, il était son premier Arpenteur, il fallait comprendre, elle ne voulait plus le revoir, jamais, pour ne pas oublier, il fallait qu'il promette...

La petite femme rousse était assise sur le bassin du jeune homme. Elle avait enfilé sa chemise et s'appliquait à reloger entre ses seins ronds ce qui restait de la grappe de raisin. Elle ne se pressait pas. Elle racontait à voix basse, comme pour elle-même, sa première expérience avec un Arpenteur :

« C'était dans un autre quartier, il y a quelques années. Je me souviens que la chose m'avait beaucoup déçue (Olfan se rengorgea). Je ne parle pas de l'acte lui-même, non, pour ça, j'en ai été plutôt réjouie (Olfan toussa). Nous étions douze prétendantes et le roi de la Fête nous voulait toutes. Il nous a conduites au dernier étage d'un immeuble désaffecté. Des bougies brûlaient aux quatre coins d'un lit recouvert de soieries et de coussins multicolores. De l'encens fumait, beaucoup d'encens. Une femme jouait du luth sur un tabouret. Une mélodie très douce. Tout cela nous mit en grand appétit. L'une après l'autre, nous sommes passées sur la couche de l'Arpenteur, et notre désir de lui n'a fait qu'augmenter durant l'étreinte. Au bord du lit, il y avait de larges coussins, où nous avons pris place ensuite pour attendre, encore plus palpitantes, que le roi de cette nuit nous rappelle auprès de lui. Mais après le premier tour, le bonhomme, tout roi qu'il était, s'est mis à ronfler. Je suis restée la dernière à son chevet, espérant profiter de lui plus à mon aise dès son réveil. La joueuse de luth est sortie. La dernière bougie s'est éteinte, et je suis demeurée dans l'obscurité jusqu'à ce que l'aurore, peu à peu, allume des lueurs timides derrière les fenêtres.

« J'aurais mieux fait d'aller finir la nuit dehors avec les autres : le type a ronflé jusqu'au matin. Lorsqu'il m'a aperçue, il s'est rappelé une affaire urgente et a filé sans plus d'effusions, comme le mauvais garnement d'Arpenteur qu'il était redevenu.

« Je m'étais juré de ne plus rien faire avec l'un des tiens. (Elle offrit un grain de raisin à Olfan, un autre à la longue fille.) Je ne sais pas si c'est une très bonne chose que de prendre des résolutions. La Fête arrive, elle est toujours là

plus forte, et l'on ne risque que des remords à vouloir
tenir ses promesses.

« Pour l'avenir, je ne promets plus rien. Quoi que l'on
fasse, c'est toujours le mur qui décide. Tu dois le savoir
aussi bien que moi. »

Altamaria, pour la première fois de sa vie peut-être, passa la nuit de la Fête avec son homme.

En début de soirée, tous deux se rendirent au mur. Main dans la main, sages comme des poupons, ils assistèrent à la courte cérémonie. Lorsque la foule s'ébranla, eux demeurèrent sur place, debout l'un en face de l'autre. Ils se regardèrent. Longtemps. Le visage empreint d'une douceur un peu mièvre, probablement déplacée dans cette foire à la débauche. Lui était propre et sentait bon. Elle était raisonnable. Elle ne se pressait pas d'allumer la flamme dans ses yeux. Cette nuit, elle le savait, l'homme serait sien. Comme il ne l'avait plus été depuis des mois, dans ce logis qui avait abrité les premières années de leur couple. La foule pouvait souffler autour d'eux, la musique pouvait s'affoler, le diable en personne n'aurait pas séparé ces amants retrouvés.

À l'heure où la plupart des fêtards sombraient dans l'ivresse, Altamaria et son homme entamaient leurs premiers blanc-fraise. Autour, la rumeur enflait, quelque chose d'électrique agitait les corps en tous sens. Eux demeuraient détendus et sereins, arrêtés volontairement au bord de cette fête. Le temps coulait plus vite qu'eux. Il ne les concernait plus.

Ils ne rentrèrent pas tard et s'aimèrent toute la nuit.

La matinée qui suivit jeta une ombre sur leur bonheur.

Altamaria avait conservé des réflexes incompatibles avec la reprise d'une existence conjugale. La veille, l'esprit tout occupé à préparer la sauce dans laquelle elle mangerait son homme, rougissant à la pensée des gaillardises qu'elle osait imaginer, elle avait disposé comme chaque soir ses pièges à Garce dans le couloir de l'appartement. Les réflexes sont une seconde peau ; ils vous collent au corps longtemps après qu'ils sont devenus inutiles. Au matin, les cris de son homme la tirèrent du sommeil. Se retrouver, au seuil d'une nuit d'amour, allongé dans le couloir de son domicile, la cheville droite tenaillée par un piège à renard, une fourchette plantée dans le gras de l'épaule, et apprendre par la bouche de son épouse éplorée que l'auteur de cet attentat n'est autre qu'elle-même, ne favorise pas les élans amoureux.

Une fois remis, épaule pansée, cheville bandée, l'époux d'Altamaria s'enfonça dans son fauteuil près du poêle avec l'intention d'épuiser la journée en bouderies. Un journal prenait la poussière au pied du meuble. Il le déplia, éternua dix-huit fois, et se plongea dans la lecture de nouvelles défraîchies.

Altamaria savait qu'elle n'en tirerait plus rien avant le lendemain. Elle s'inventa un programme, puis sortit dans la rue pour le réaliser.

Tout d'abord, rendre visite à l'apothicaire. Lui présenter ses excuses pour le meurtre de son amante. S'il les acceptait, faire provision chez lui de bandages et de pansements afin de prouver son bon cœur. Ensuite, effectuer un petit crochet par le cimetière pour déposer une gerbe de fleurs sur la tombe de la Garce. Enfin, pousser jusque chez l'archéologue. Le barbichu avait effectué une demande d'autorisation officielle pour entreprendre des fouilles sous la Garcière, il attendait fébrilement la décision des huiles et se réjouirait de sa présence.

Le plan tout frais d'Altamaria ne se déroula pas comme espéré. L'apothicaire, encore sous le choc, demeurait enfermé chez lui. À l'arrivée d'Altamaria, il aboya et donna des coups de museau contre les volets.

La lingère n'insista pas. Elle fila au cimetière, échauffée à tel point qu'elle en oublia d'acheter des fleurs. Un gardien somnolent l'informa que sa victime ne serait pas inhumée avant le lendemain. La Fête avait réquisitionné tout le monde jusqu'à l'aube ; certains offices s'en trouvaient retardés.

Fort bien. Altamaria connaissait l'adresse de l'archéologue. C'est elle qui l'avait ramené, l'avant-veille, juché sur ses épaules, parce que le soleil donnait au pauvre homme des étourdissements.

Au treizième coup de sonnette, le barbichu apparut sur le seuil. Souriant, l'œil vif, un peu essoufflé. La demeure sinuait énormément, le maître d'œuvre avait dû prendre modèle sur un intestin. Du hall d'entrée, plutôt réduit, jusqu'au salon encaissé, il fallait obliquer douze fois à gauche et neuf fois à droite, ce qui — Altamaria le fit remarquer à voix haute — faisait beaucoup de couloirs pour un trois pièces-cuisine.

L'archéologue entreprit de faire un peu de place. En refermant les portes de ses trois armoires, il put gagner une portion d'espace appréciable. Il profita de l'aubaine pour indiquer à sa visiteuse un tabouret, bancal mais dépourvu d'échardes.

Une carte s'étalait sur la table du salon — de toute évidence une étude du réseau souterrain — ainsi que divers calques à demi enroulés sur lesquels étaient tracés des signes de peu d'intérêt pour Altamaria. Le brave homme, améliorant son idée de départ, réussit à dégager un espace suffisant pour qu'elle s'installât plus à son aise, sur une chaise. Il enfourna cartes, compas, crayons, règles et papier millimétré dans un tiroir bondé de feuilles crissantes, pesa de tout son poids sans parvenir à le refermer, puis épongea son front luisant de sueur et décréta qu'à présent on pouvait bavarder.

Il proposa de préparer un café, elle accepta, il se mit en route pour la cuisine. Un bout de soleil se frayait un passage à travers les fenêtres empoussiérées, la journée s'annonçait radieuse. Altamaria avait enfin trouvé un refuge pour dérouler agréablement cette matinée.

Lorsque l'archéologue revint, essoufflé, portant sur un plateau deux cafés glacés, la nuit tombait.

Altamaria était désolée : elle ne prenait jamais de café aussi tard. Et puis elle devait partir. Il s'excusa d'avoir été si long, mais la distance, les couloirs. Elle s'excusa de l'avoir conduit à s'excuser, lui souhaita de la réussite dans ses démarches auprès des autorités, promit, oui, de passer voir les fouilles si la demande était acceptée, le dispensa de la raccompagner jusqu'à la porte, elle avait retenu l'itinéraire, et lui, pour son âge, avait déjà tant marché, qu'il se repose plutôt, sans mauvaise conscience, il fallait vraiment qu'elle parte à présent, son mari devait être furieux.

La longue fille brune qui, à l'aube, avait supplié Olfan de ne jamais chercher à la revoir se nommait Carne. Elle lui rendit visite le soir même.

Il avait à peine ouvert sa porte que déjà Carne le déshabillait, se pressait contre lui en roucoulant, glissait dans son oreille des poèmes qu'elle avait appris à l'école, sur les escargots, sur la forêt, sur l'hiver et le printemps. Puis sans transition, d'un ample mouvement du bassin, elle s'empala sur lui.

Après avoir aimé quatre fois son roi, Carne se rhabilla douloureusement, pleura beaucoup, maudit l'anxiété de sa mère qui sûrement s'inquiétait de son absence, jura de revenir le lendemain, et disparut à tout jamais.

La petite femme rousse qui n'aimait pas les résolutions se nommait Pandora. Elle rendit visite à l'Arpenteur le lendemain soir.

La mignonne, vêtue de soie blanche, avait logé une grappe neuve de muscat entre ses seins ronds. Olfan, en la serrant contre son cœur, fit éclater tous les grains. Pandora le gifla pour sa maladresse, pleura la blancheur de sa parure, se refusa à lui sauvagement lorsqu'il fit mine de recommencer. Elle l'abandonna sur-le-champ. Le malheureux demeura longtemps prostré, la tête entre les mains, le sexe courbe et le ventre noué.

Pandora revint dès le lendemain. Puis tous les jours. Olfan apprit très vite à contourner l'obstacle de la grappe, voire à en tirer parti. Lorsqu'elle le quittait, il lui demandait si elle aimait sa compagnie, puis tentait de lui extorquer la promesse d'un retour. Elle ne promettait jamais. Revenait toujours.

Elle avait inventé l'art de rendre miraculeuse sa présence au quotidien.

Pandora vivait dans un quartier voisin, dépendant d'un autre Arpenteur. Elle travaillait pour un Lord qui fabriquait de l'huile de rhubarbe. La jeune femme était chargée de l'étiquetage : toute la sainte journée, elle enduisait des étiquettes avec un bâton de colle, puis les plaçait à l'endroit approprié sur les bouteilles. Ni trop haut, ni trop bas. L'opération ne durait pas cinq secondes. Pandora collait quatre mille étiquettes par jour, vingt mille par semaine, quatre-vingt mille par mois.

Lorsqu'elle quittait l'atelier, la jeune femme ressentait le besoin de remuer. Pour aérer son corps, agiter ses muscles et conserver ses mollets ronds, elle gravissait trois fois la plus haute tour de la cathédrale. Après la troisième ascension, elle s'immisçait dans une lucarne proche du sommet. Là, elle récupérait doucement, en regardant le mur dressé devant la ville. Et elle rêvait.

Dans son rêve, le monde était une boîte, le mur son couvercle. Chaque fois, la main de Pandora se tendait vers le mur. Elle réussissait à ouvrir la boîte. Le couvercle grinçait, de la lumière passait. Son cœur s'accélérait. Une peur stupide, de n'être pas prête, de n'avoir pas mérité de savoir. C'était à ce moment-là que le rêve s'interrompait.

Après avoir retrouvé son souffle, la jeune femme quittait la lucarne. Elle redescendait vers la ville, courait à son logis pour effacer sous la douche les odeurs de colle et de sueur. Elle se rinçait à l'eau froide afin que sa peau reste ferme, choisissait la grappe qui correspondait le mieux à son humeur ; ensuite elle décidait, pourquoi pas, de filer chez son amoureux.

Elle avait parlé à Olfan de son rêve. C'était comme une partie d'elle-même, une partie méconnue, mais qu'elle était fière de lui dévoiler.

Il lui avait confié en retour que s'il rêvait souvent, ce n'était pas du mur. Il y avait beaucoup de miroirs dans ses rêves. Comme dans l'appartement de Pandora. Chaque être humain, chaque immeuble, chaque ville, chaque océan possédait une image de lui-même à son côté. Tout allait par couples dans cet univers dédoublé qui n'existait que la nuit, à l'abri du sommeil d'Olfan. La parité régnait ici de manière si constante que le singulier n'avait pas droit de cité.

L'Arpenteur se retrouvait dans cette notion de frontière entre image et reflet. À la fin de ses rêves, la distinction n'était plus visible. Il y avait peut-être deux images face à face. Ou deux reflets. Seul le réveil coupait le fil du songe, séparant leurs couples emmêlés.

Altamaria n'abandonnait pas l'idée de se montrer généreuse envers l'apothicaire.

Chaque matin, en portant les blouses sèches aux clients, elle passait devant le volet tiré de sa boutique. Par un interstice du bois, elle glissait des quignons de pain à l'intérieur. Ce rituel déclenchait force aboiements, mais il lui permettait d'alléger sa conscience.

Or il advint que, dans cet être déchu, mi-homme, mi-chien, la part humaine reprit le dessus. Derrière les volets de la boutique, ce qui rampait à quelques centimètres du sol, éternuant la poussière et jappant son dépit, retrouva la station verticale. La parole se fraya depuis sa gorge un chemin vers ses lèvres. Il put crier enfin, libéré :

« Je te tuerai ! Je te tuerai ! Je te tuerai ! »

Ses mots cabriolèrent dans la rue, ricochèrent aux murs des immeubles, arrachant ici des éclats de façade, là des frissons d'angoisse. Le store grinça, une odeur de tripes faisandées glissa au-dehors. L'apothicaire apparut dans l'embrasure de sa porte. Il avait maigri. Son regard luisait dans l'ombre, effrayant et pitoyable.

Altamaria, qui l'observait derrière le rideau de sa chambre, renifla bruyamment. Elle essuya une larme grosse comme un œuf.

« Le mur m'est témoin que je n'ai pas voulu ça. »

Elle tira le rideau. S'habilla mécaniquement. Ouvrit sa porte, la referma consciencieusement. Avec courage, elle affronta la rue. Au fond de son panier de blouses, elle avait déposé une louche en fonte. À tout hasard.

L'homme d'Altamaria se nommait Bec. Nul ne le savait, ou bien tout le monde l'avait oublié. Aussi vivait-on dans l'angoisse permanente de dévoiler cette ignorance. On attendait toujours qu'il parle en premier, ce qu'il faisait plutôt bien, au grand soulagement de tous.

On avait constaté son retour dans le quartier parce qu'il jurait à gorge déployée, sans raison particulière, toute la sainte journée. C'était autrement un individu sensible, presque encombré de civilités. S'il n'y avait eu ces jurons — impossible de ne pas les entendre —, ses voisins lui auraient sans doute décerné le premier prix d'amabilité.

À présent que l'oiseau était de retour, on se rendait compte à quel point ses trilles venimeux et ses carnages verbaux avaient manqué. Un quartier pétri d'habitudes. Le citoyen y levait bon comme le pain, sincère et dévoué jusqu'à l'os, mais tout changement lui provoquait un rhume. Comme le mur, le Forum des Bâtisseurs et le lavoir, les grossièretés de Bec y avaient leur place.

Rogue, terrassier, était l'ami de Bec. Pas plus que les autres il ne connaissait le prénom de son ami. Il usait de subterfuges efficaces pour obtenir son attention sans avoir à le nommer, sachant tousser de manière expressive, s'exclamer tout haut ou encore claquer des doigts très fort. Une chose le tranquillisait un peu, c'était la formidable volubilité de Bec : pendant que Bec parlait, Rogue n'avait pas à le faire.

Bec demeurait intarissable sur le sujet des rêves. Quotidiennement, il rendait visite à Rogue durant la pause de midi pour lui conter son petit dernier dans le détail. Rogue n'avait jamais besoin de le prier pour qu'il se livre. Du reste, Bec ne lui avait jamais demandé son avis.

Voici par exemple ce que Bec raconta à Rogue ce jour-là, assis sur un banc dans le square qui borde le Forum des Bâtisseurs, tandis que l'autre, appliqué à mâcher du pain au lard, n'était qu'oreille et silence :

« Ça se passe dans mon château, celui où j'habite toujours quand je rêve. Altamaria donne une fête pour le nettoyage de sa dix millième blouse. Une bonne moitié de la ville a défilé devant le portail sous prétexte qu'elle nous connaît. Caton, le domestique dont je t'ai déjà parlé parce qu'il joue dans mes rêves un rôle important, souviens-toi, Caton a pour mission de filtrer ce beau monde. Certains empaluchés qui n'ont rien prévu d'autre pour la soirée se pressent contre la grille. J'en vois qui, ventrefoutre ! ont apporté un cadeau, croyant que cette attention leur ouvrira les portes. »

Caton peine pour trier le bon grain de l'ivraie. Il a déjà giflé quelques matefesses de première qui tentaient d'affaler la grille. Alors qu'il pense avoir dompté le flot, un petit bonhomme s'accroche à son mollet, et le mord. Rut impérial ! Je connais le bougre. C'est un branle-motte aviné que j'ai eu la mauvaise fortune d'inviter. Il me faut intervenir avant que Caton l'étrangle tout de bon. Lointain cousin d'Altamaria par l'intermédiaire de sa mère — une enfourne-bourgeois qui a péri lapidée par ses très nombreuses rivales —, le bonhomme est de toutes nos réceptions. Caton ne le reconnaît jamais, et l'autre, castrefigues comme sa mère, épluche les soirées à bouder ouvertement. J'accompagne le cousin à l'intérieur en espérant qu'il récupérera de sa quasi-strangulation, quand je m'aperçois, ventregueuse! que ce que je tiens par la main n'est pas le cousin. C'est son reflet! Le petit morvedèche a filé à l'intérieur. En compagnie d'autres chenapans de son espèce, il vide consciencieusement plats de petits fours et flûtes de champagne devant nos invités scandalisés.

Caton a pourtant abattu de la besogne au portail, mais il n'a repoussé que des reflets. Les véritables pique-assiettes l'ont berné en escaladant les grilles du parc. Altamaria est occupée à l'étage, où elle enfile ses douze jupons d'apparat. La pauvre ignore encore le désastre...

... Les aboiements d'un chien me tirent du sommeil. Ce chien hurle dans la rue. Je m'en souviens très bien, à ce moment-là ce n'est plus un rêve, il dit:

« Je te tuerai! Je te tuerai! Je te tuerai! »

Altamaria m'a assigné au fond du lit: interdiction de reprendre le terrassement sans avoir pleinement digéré ma séquestration. Mais, vatenfoutre! comment refermer l'œil après ce que je viens d'entendre? J'ai envie d'en savoir davantage sur le cabot!

Depuis quelques instants, Rogue avait achevé son casse-croûte. La digestion le tirait sur une pente somnolente. Tout à son histoire, Bec observait son ami du coin de l'œil. Au moment où celui-ci ferma complètement les paupières, Bec lui assena une claque retentissante sur la joue. L'autre, revigoré, balbutia des remerciements. Bec appliqua sur son front un baiser mouillé et poursuivit:

« Armé d'un tranche-lard bien aiguisé, je descends l'escalier. Il faut se méfier des chiens qui hurlent trois fois "Je te tuerai!". Pour montrer que je ne crains personne, j'ouvre la porte d'un coup sec — les chiens, c'est bien connu, respectent celui qui ne les craint pas — et je me coule dans la rue, fringuant comme une lichette de rouge dans la soupe. »

Dès les premiers pas, je la trouve agitée, la rue. Je me dis, carnevieille ! que ce n'est plus une soupe mais un ragoût un peu bâclé, et qu'une louche vient de le mélanger sans regarder à l'harmonie. La louche y a creusé un grand vide, projetant vers les ruelles plus étroites des badauds en grumeaux. Une charrette s'est renversée devant ma porte, le conducteur a fui épouvanté par les cris du chien. Le cheval aussi a décampé après avoir rongé sa corde. Des pommes ont roulé jusqu'au pied de l'escalier. La gueule béante, l'œil roulant un reflet douteux, l'apothicaire halète devant sa boutique. Je n'ai jamais porté l'homme dans mon cœur, mais depuis cette histoire avec la Garce je l'avais pris en pitié. La rue attend que cette gueule de cauchemar recule, s'estompe dans l'ombre de son échoppe. Moi, fichtrebleu ! je fouille dans mes poches, y dégotte un quignon de pain et le lui balance en m'excusant qu'il soit si dur (je n'avais plus mis cette veste depuis la veille de ma séquestration). La bête commence à japper après moi. Ses babines se retroussent, lentement, sur des canines plutôt petites. Puis elles retombent, beaucoup plus vite, lorsque j'agite mon tranchelard sous son museau. Je continue d'avancer. L'apothicaire ne jappe plus, il louche vers le quignon de pain. Après quelques secondes il détourne les yeux, observe dans le détail le bout de ses chaussures mal cirées, puis, foutregueuse ! il s'enferme dans sa boutique en pleurant comme un bébé.

À ce moment-là, Altamaria déboule devant moi, son panier vide dans une main, une louche en fonte dans l'autre. Face lunaire. Paupières rougies. Je connais bien ma typesse : elle prend la chose plus au sérieux que moi. Dans cette rue, à cet instant précis, elle me remet à peine. Pour un peu elle me fendrait le crâne avec son touille-tambouille.

Je lui prends la corbeille des mains, l'installe sur mes épaules, et je la ramène à la maison. La pauvrette tremble comme un flan sur un chariot de cantine. Moi je la trouve tellement appétissante — j'ai eu si grande faim d'elle durant mon séjour sous terre — que, foutrepine ! je lui fais l'amour jusqu'au soir.

Rogue, pour masquer la rougeur qui lui montait aux joues, cherchait les miettes de son casse-croûte répandues au sol, comme si les retrouver avait apporté une solution au problème d'Altamaria. Bec lui annonça qu'il devait retourner auprès de sa douce ; il avait promis de surveiller l'apothicaire. À son habitude, il enfonça dans le ventre de son ami un affectueux direct du droit ; l'autre lui décocha un coup de tête complice dans le menton. Ils sautillèrent quelques instants sur place, se frictionnant les zones endolories, puis, s'excusant mutuellement de bâcler les effusions, les deux compères se donnèrent rendez-vous le lendemain, même heure, même endroit.

Au plus profond du sommeil, Altamaria atteignait une volupté extrême. Un univers de formes molles, vaguement géométriques, se matérialisait autour d'elle. Au début, il lui était difficile d'en préciser la nature. Ses yeux ripaient sur le contour des choses comme des mains dans la nuit. Des sons diffus s'insinuaient jusqu'à ses tympans. Là, ils s'étiolaient, se vidaient de leur contenu. Râles humains? Rires? Soupirs? Cris d'oiseaux? De rongeurs? Plainte du vent dans l'espace? Altamaria se trouvait peut-être encore en elle, tout au fond, à l'instant où l'esprit peine à choisir un rêve.

Peu à peu, des paramètres se précisaient. Des odeurs de musc et de terre lui chatouillaient les narines. De la lumière venait. Altamaria prenait pied sur un sol spongieux, crevé par des murs roses à la consistance vaguement élastique. Ces murs formaient des angles inattendus, s'arrondissaient, s'interrompaient pour repartir en filant droit jusqu'à une extrémité qui semblait aléatoire. La luminosité s'intensifiait. Elle devenait presque douloureuse. À l'angle de chaque mur se tenaient des hommes, chevelus, le poitrail hirsute, nus comme des vers. Ils demeuraient immobiles, leurs larges épaules et leurs fesses en appui contre le mur, la nuque ployée, les bras ballant le long du corps, paumes contre cuisses. Leurs sexes dressés vers le soleil imploraient la jeune femme de les honorer. Elle faisait une pause auprès de chacun, demeurait en sa compagnie aussi longtemps qu'il le désirait, encourageant ses assauts répétés, buvant toute sa fougue jusqu'à ce que, fourbu d'avoir tant martelé cette croupe chaude, l'homme s'endorme sur le sol odorant dans la position du fœtus.

Altamaria reprenait son chemin. Les murs gravissaient des collines, descendaient au fond de vallons vertigineux. Ils se contorsionnaient afin d'épouser l'angle d'une montagne fichée dans le sol. Parfois ils s'interrompaient pour laisser passer les rayons d'un soleil ardent. Altamaria protégeait ses paupières d'un geste vif de la main. Elle ne s'offusquait guère de ces sautes d'humeur du paysage.

Le rêve durait. S'étirait selon le bon vouloir de la dormeuse. Les murs défilaient, s'estompaient, reprenaient, se passaient le relais. Altamaria parcourait un territoire gigantesque, laissant après chacun de ses pas des hommes endormis contre la terre meuble, bienheureux, leur chevelure formant sous eux une couche soyeuse.

Au réveil, Altamaria se lovait tout contre Bec. Ses doigts couraient sur le ventre musculeux. Ils effectuaient quelques rondes autour du nombril, goûtant la chaleur de cette chair veloutée sous laquelle cognait un sang impétueux. Au bout de quelques instants, la main d'Altamaria se précipitait sur le champignon de Bec. Celui-ci, prompt à frétiller, ne s'offusquait jamais d'être cueilli de pareille façon.

Après le plaisir, Altamaria se levait guillerette, en poussant un soupir enjoué. Elle avait oublié jusqu'au moindre détail de ses rêves. Comme si cette gymnastique par eux déclenchée les avait consumés.

Sur son balcon, Pandora cultivait trois pieds de vigne : rouge, blanc et muscat. Un système de régulation calorifique les maintenait en état de fertilité ; ainsi, la jeune femme disposait en permanence de ces ornements appétissants qu'elle adaptait à ses tenues et à ses humeurs.

Le balcon offrait une vue imprenable sur le mur. On pouvait contempler ici la page blanche, muette, de la construction millénaire. Olfan aimait y venir juste avant le crépuscule. À cette distance, sur cette portion inconnue de lui, son gigantesque ami lui paraissait autre. Olfan s'était approprié l'image de son mur ; il en avait fait une figure aimée, familière. Le visage ici dévoilé lui révélait les limites de sa vue. Il n'aimait pas cette sensation. Non, il n'aimait pas le mur à cet endroit. Mais il ne pouvait s'empêcher de le regarder encore et toujours.

Pandora supportait mal qu'Olfan lui rende visite en sa tanière. Elle tenait à décider seule, chaque jour, de leur relation. Une dispute de principe avait lieu lorsqu'il pénétrait chez elle. Heureusement, l'Arpenteur était devenu expert en dégrappage : avant que les nerfs de sa douce n'atteignent l'apogée de leur fureur, il les avait réduits à de petits matous dociles. Depuis les orteils jusqu'aux cheveux, le corps de Pandora n'aspirait qu'à fondre de bien-être entre ses bras. La dispute s'achevait sur le balcon, où l'enchevêtrement de leurs membres s'ajoutait à celui des sarments.

Après l'amour, Pandora demeurait allongée sous l'ombre tiède de la vigne, suçotant une grappe de muscat. Elle rêvait sans doute à l'étreinte du lendemain. Étreinte d'autant plus prometteuse qu'elle n'était pas promise.

Olfan se levait, ornait son sexe d'une feuille de vigne et s'approchait de la balustrade en fer forgé. Le mur à cet instant lui semblait hideux. Il aurait voulu l'abattre. Ou le franchir.

La proximité quotidienne du mur suscitait chez l'Arpenteur des envies d'immensité. Des envies qui envahissaient jusqu'à la moelle de ses rêves. Si grandes qu'elles martelaient ses tempes, trop grandes pour se contenter d'un logis aussi étroit que le rêve.

Lorsqu'il naviguait, Olfan ne pouvait apaiser sa soif d'infini : cette surface plane et grise à la lisière décorée de fresques fantomatiques lui apparaissait comme une barrière plus épaisse encore que le mur. Coincé entre une muraille et l'horizon, Olfan voyait sa vie bornée par deux limites infranchissables.

En hiver, la rivière gelait. Il fallait chausser des patins, pousser le bateau jusqu'à l'embouchure où son cours redevenait liquide. Parfois l'embarcation, plus lourde, partait devant l'Arpenteur. Il devait mener une course folle pour la rejoindre avant qu'elle donne du flanc contre la berge.

Olfan devinait à travers la glace le lit assombri de la rivière. Des choses passaient là-dessous, des silhouettes ondulaient dans le fond. Algues ou poissons ? Une vie poursuivait son cours à cet endroit. Une vie aux allures nonchalantes qui avait oublié la surface, le ciel, le vent, les hommes et leurs routes et leurs charrettes et leurs villes. Et tout ce qui, là-haut, a une importance.

Pandora n'avait jamais vu la mer. Elle découvrit depuis le bateau cette figure de l'infini qui perturbait son ami.

C'était un jour d'été. Quelques nuages donnaient un peu d'ombre dans un ciel de lave. La mer lui apparut comme une plaine ennuyeuse. Une immensité vide, manquant atrocement de signification. L'infini : une coquetterie bien ridicule puisque chaque chose en ce monde avait une fin, la mer n'échappant aucunement à la règle.

De gras nuages, béats d'admiration, étaient penchés au-dessus de cette supercherie plate et grise. Par intermittences, ces grandes choses molles poussaient des sifflements d'admiration. Des manifestations un peu vulgaires, comme il en retentit dans ces rassemblements de mâles en chaleur. Le vent avait beau les chasser, d'autres accouraient comme pour un spectacle inédit.

Qu'ils étaient mous, ces cumulus dont l'ultime fierté consistait peut-être à projeter une ombre sur le vaste corps étendu sous eux ! Laisser une trace, même éphémère, cela importait-il à ce point ? Et qu'il était mou lui aussi, son Arpenteur que la grande chose flasque modelait à sa guise ! Les yeux figés dans l'observation de ce lointain qui lui échappait. La bouche entrouverte, dents au vent, lèvres mouillées par les embruns. La mer avilissait tout puisqu'elle était capable de transformer un visage aimé en figure d'épouvantail.

Pandora, ce jour-là, s'était endormie d'ennui.

Il fallut la persuader de revenir. Elle réussit à ne plus s'endormir — l'amour, car ce devait être lui, rend capable de tels exploits —, mais elle n'apprécia jamais la mer. Élevée près du mur, comme Olfan, comme leurs concitoyens, comme la majorité des humains peuplant le monde connu, elle ne supportait pas la vision de l'infini.

Rogue ne faisait pas confiance à la nuit. Il n'appréciait guère cette grande chose obscure qui lui tombait sur les épaules sitôt que le soleil avait le dos tourné. Il travaillait en équipe de nuit pour récupérer durant la journée.

Il ne faisait pas confiance aux rêves. Quelque part dans son crâne, une loupiote s'allumait dès qu'une image tentait de s'y introduire. Il ouvrait les yeux, s'appliquait sur l'occiput une tape vigoureuse pour désarçonner les songes, et se rendormait. Vigilant.

Un bon dormeur ne s'embarrasse pas de fariboles. Effectuer chaque nuit des incursions de l'autre côté du mur, rêver de franchir des barrières, des portails, des grilles ou tout autre représentant de la Limite, lui semblait aussi vain que jouer à la parpalotte sans cartes. La Limite restait une divinité majeure dans ce panthéon que Rogue et la plupart de ses concitoyens honoraient sans faillir. Il n'appartenait à personne de transgresser les règles par elle imposées.

Rogue n'avait rien contre les rêves de Bec, mais il éprouvait une pitié sincère à voir ce grand bonhomme charrier sous son front solide autant de niaiseries. Cette histoire de séquestration, de Garce et de souterrain ne l'avait pas convaincu. Pour lui, Bec avait inventé l'affaire afin de se constituer un alibi. Rogue savait son ami très à l'écoute de son champignon : celui-ci l'avait entraîné sur une pente extra-conjugale, il s'en était repenti, avait inventé cette histoire pour Altamaria et avait fini par y croire. La Garcière n'existait pas plus que les autres chimères peuplant son imaginaire. Et si Altamaria voulait bien y croire elle aussi, c'est que l'amour l'empêchait de séparer le vrai du faux.

La maison jaune aux volets clos et à la cheminée vert pistache, placée sur le chemin de son nouveau chantier, existait bel et bien. Ce que les affabulations de Bec et d'Altamaria avaient bien voulu mettre à l'intérieur les concernait. Rogue ne croyait qu'en ce qu'il voyait, à la rigueur en ce qu'il touchait, exceptionnellement en ce qu'il sentait. Entendre et goûter constituaient des luxes suspects. Pour cet homme épris de clarté et de vérité, ce que l'on ne pouvait ni voir ni toucher — ni sentir — appartenait au domaine de la fiction. Et la fiction était aussi suspecte que la nuit.

Lorsqu'il mangeait du pain, Rogue se refusait à croire que cet aliment moelleux, à la surface croustillante, fût issu de céréales broyées. Le pain était le pain, la farine était la farine, les céréales étaient les céréales. Il n'était pas né celui qui convaincrait Rogue de tout mélanger.

Quant aux microbes, virus et autres dragons de l'infiniment petit, ces choses-là n'avaient de réalité que dans l'esprit tourmenté de ceux qui gardaient le lit en place d'aller travailler. Lui n'aimait que le travail, ne croyait pas aux microbes et, de fait, ne tombait jamais malade.

Si Bec avait laissé Rogue s'exprimer, il aurait compris que cette oreille dans laquelle il déversait intégralement ses confessions contenait tout sauf de l'approbation béate. Mais il avait distribué les rôles dès le départ, Rogue n'avait rien tenté pour changer la donne. Les monologues de Bec et les silences de Rogue étaient devenus le ciment de cette relation bancale qui ressemblait malgré tout à de l'amitié.

Pour obtenir l'autorisation de fouiller sous la Garcière, Italo Svevino, archéologue de son état, portant barbiche et favoris blancs, le nouvel ami d'Altamaria, qui avait laissé un peu de sa santé dans la cave de la demeure de l'amante de plusieurs autres messieurs à part lui, et dont le domicile personnel malgré son exiguïté comportait une longueur de couloirs équivalente à celle d'un intestin, avait dû emprunter au travers des voies administratives un cheminement complexe, nerveusement épuisant, presque aussi usant qu'une de ces assommantes phrases à tiroirs que l'on trouve dans certains ouvrages à prétention littéraire.

Italo Svevino détestait la littérature. Il haïssait tout autant les démarches administratives. Incapable de tuer le temps avec un roman, il endurait comme un supplice le moindre séjour passé dans une salle d'attente. Lorsqu'on lui accordait un chantier, il ressuscitait lentement, préparait sans hâte son terrain pour fouiller ensuite le plus dolemment possible. Il espérait ainsi repousser le terme des recherches et le moment d'entreprendre une autre démarche administrative. Le terme était rarement repoussé ; le travail d'Italo, trop lent, était rarement complimenté.

Si le chantier de la Garcière fut officiellement confié au vieil archéologue, ce fut en raison de sa légendaire inefficacité. Les autorités ne voyaient pas d'un œil favorable que l'on fouille si près du mur, aussi la requête d'Italo Svevino leur parut-elle un excellent moyen d'apaiser la curiosité des citoyens tout en préservant le mystère de la construction.

On ignorait les réelles capacités du vieil archéologue. Inefficace par calcul, Italo possédait en secret les compétences requises pour fouiller merveilleusement. Il suffisait que le jeu lui paraisse digne d'intérêt.

Pour obtenir l'autorisation, il avait fait disparaître les récipients décorés et s'était même gardé de mentionner leur existence. L'évocation d'une peinture dépourvue de la moindre allusion au mur aurait suffi à invalider la demande. Officiellement, le mur avait toujours existé. Il appartenait aux archéologues de le confirmer.

Altamaria en savait beaucoup plus que les autorités sur le chantier de la Garcière. Elle y passait dès qu'elle pouvait, escortée de son homme. Tant que Bec se tenait auprès d'elle, nul assaut de l'apothicaire n'était à redouter.

Le barbichu informait ses nouveaux amis des derniers progrès de sa recherche. Les tessons s'ajoutaient aux tessons, les coupoles ébréchées aux débris d'assiettes. Tout confirmait l'occupation du lieu en un temps très reculé, et l'inexistence du mur à cette époque.

Parce qu'il craignait les bavardages, et parce qu'il importait de bien déblayer, Italo Svevino avait engagé pour assistants ses deux grassouillets compagnons d'infortune. Eux n'avaient pas perdu le goût de la terre et ne demandaient qu'à rendre service.

En réalité, le seul que les fouilles passionnaient, c'était l'archéologue. Les autres prêtaient l'oreille de temps à autre, il arrivait qu'Altamaria pose des questions polies, mais la plupart du temps l'archéologue conversait avec les coupelles tandis que son monde jouait aux cartes.

On s'installait à même la terre fraîchement remuée et on ne voyait pas le temps passer. Le jeu de parpalotte se pratiquait à quatre. Au début, on s'était méfié des deux joueurs bedonnants parce que leurs mastications produisaient une gamme de sons assimilables à des messages codés. Le temps aidant, la confiance s'installa. Vint une époque où soupçonner la mastication des deux hommes aurait constitué une insulte à cette amitié nouvelle inaugurée sous terre.

Lorsque le hasard les réunissait en surface, les conversations avaient du mal à tenir. Tandis que d'autres, craignant pour leur réputation, auraient ignoré les indisposants personnages, Altamaria et Bec leur adressaient un signe amical, et leur envoyaient des paroles toutes fraîches. Celles-ci revenaient, intactes, comme si les autres n'y avaient pas touché. Tout au plus pouvait-on déduire des signaux émis par leurs bouches l'intention d'une sonorité précise : claquements de langue, de dents, succion brève ou appuyée. On n'était jamais sûr de ce qu'on déduisait, il n'y avait peut-être aucune raison pour que ces sons étranges constituent un langage. D'ailleurs, les deux personnages ne goûtaient guère les saveurs de la discussion. Les mots n'étaient après tout qu'un zeste de vent modulé sur les lèvres. Or pour les rassasier, il y avait plus consistant que le vent.

Ainsi coulait le temps sous la Garcière. Ainsi passait la vie en surface. La lingère en aurait presque oublié ses blouses. Et l'apothicaire.

Le Lord qui employait Pandora avait installé sa fabrique d'huile de rhubarbe au sommet d'une butte, dans un vieil immeuble en briques sombres, haut de plafond et exposé au vent coulis venu de la friche. Ce vent chargé d'effluves presque champêtres au printemps ne séduisait pas grand monde à la saison froide, car il pouvait piquer jusqu'au sang.

La construction s'enrhumait fréquemment. On dépensait beaucoup en bois de chauffe et le travail, au plein de l'hiver, ne débutait jamais avant une heure fort avancée : l'huile de rhubarbe, ayant gelé dans les fûts durant la nuit, refusait de couler. Des bûches rondes comme des courgettes étaient allumées dans toutes les cheminées de l'immeuble. Le couinement des soufflets emplissait l'espace pour un long moment. La chaleur diffusée par les flammes s'élevait jusqu'au plafond, s'y accumulait lentement, avant de se répandre vers les niveaux inférieurs. Au bout d'un temps, les ouvrières retiraient leurs bonnets, la chaleur gagnait leurs joues, leurs gorges, les prenait par la taille et leur frictionnait les cuisses, puis les mollets. Il faudrait attendre midi pour qu'elle parvienne jusqu'à la pointe des orteils.

Malgré tout, le Lord s'était attaché à l'immeuble, dont la face de brique et la carrure lui rappelaient un grand-père. Les ouvrières ne lui en tenaient pas rigueur, car il assumait personnellement les frais de chauffage.

Aux changements de saison, les charpentes éternuaient. Des poutres branlaient, un peu de plâtre tombait des plafonds, certains murs étaient pris de tremblote. La manufacture fermait ses portes durant quelques jours.

Pandora goûtait le plaisir rare de faire durer la nuit jusqu'au milieu du jour. Calfeutrée dans sa chambre aux fenêtres tendues de velours sombre, elle poussait le rêve jusqu'à son ultime extrémité. Il y avait donc ce mur. Qui, aussi bien, était un couvercle. Ou une porte. En tout cas un passage. Quelque chose qu'elle devait ouvrir. Elle sentait comme une vibration à la surface du matériau. Une chaleur étrange, presque animale. Cela réagissait lorsqu'elle formulait clairement la volonté de passer. Du jour entrait. L'autre côté palpitait là, bientôt à sa portée.

Pourtant la fin du rêve se refusait à la dormeuse. Elle ne parvenait jamais à empêcher l'ouverture de ses paupières. Apparaissait l'intérieur familier de sa chambre. Familier jusqu'à la nausée.

Pandora, sitôt levée, s'emparait de la plume qu'elle avait déposée la veille sur sa table de chevet et se lançait dans une course contre l'oubli. Elle griffonnait sur des bouts de cahiers, sur des feuilles volantes, sur des photos, des couvercles cartonnés, des napperons, des mouchoirs, sans autre soin que celui d'être fidèle à ces images accumulées en rêve. Malgré sa vigilance, elle ajoutait des ingrédients, ouvrait en grand la porte ou le couvercle ou le mur qu'elle n'avait pu vaincre en dormant. Ce qu'elle distinguait là derrière, elle voulait en incruster le souvenir sur le support où bataillait sa plume. La jeune femme pénétrait dans une transe échevelée qui pouvait durer près d'une heure et la jeter au sol, pantelante. Des ribambelles de phrases gisaient auprès d'elle, illisibles. Vaincues par l'étendue de ce rêve qui leur avait filé entre les doigts.

Longtemps après, Pandora se levait. Elle ouvrait les rideaux de velours sombre, collait son front contre la vitre avec la haute barre du mur pour tout horizon.

Lorsque le froid du carreau glaçait sa peau, elle se retournait. Elle posait la plume à son chevet, formait une boulette avec le souvenir tronqué de son dernier rêve et la lançait sur le tumulus déjà conséquent des précédents. Ensuite elle traînait la pantoufle dans son appartement silencieux, préparait plusieurs tasses de thé qu'elle avalait froides pour avoir oublié leur existence aussitôt versées. Quand le soleil déclinait, elle se couvrait les épaules avec un châle ; l'appartement n'était pas bien chauffé. Ces jours-là, tandis que les autres filles de la manufacture batifolaient au fond des troquets ou couraient sur le plat pays en faisant chanter l'air dans leurs poumons, Pandora n'attendait rien d'autre que l'heure d'aller retrouver Olfan.

Oublieuse des dangers encourus, Altamaria recommençait à sortir seule. Elle ne songeait qu'à la douceur du nid qui l'attendait sous terre, à la lueur tremblante de la bougie sur les cartes et aux mastications de ses nouveaux compagnons.

Bec veillait encore sur son épouse. Il l'escortait autant qu'il le pouvait, mais il avait repris son activité. Terrasser pour son propre compte requiert une organisation élaborée. Il consacrait les dernières heures de la nuit au travail de force, pour profiter de la fraîcheur. Concasser des blocs de granit avec une masse métallique pour les rendre aussi poudreux que le sable de l'océan, à l'heure où tout un quartier dormait autour de lui, le conduisait à utiliser des procédés complexes pour atténuer le choc de sa masse sur le sol.

Dès l'aube, Bec éteignait sa frontale et s'en revenait chez lui, où un autre labeur l'attendait. Prendre des commandes, établir des factures, rendre des comptes à l'administration et aux clients. Fournir des autorisations, des assurances, des contrats pour chaque coup de masse, pour chaque bloc de calcaire réduit en poussière. Cette poussière même, répandue en couche homogène, devait à son tour obtenir un statut, une légalité, un permis de séjour.

En début d'après-midi, la fatigue appuyait sur son crâne, ses paupières le tiraient vers le bas, il devait s'allonger. Habituellement, il dormait en ronflant jusqu'au soir.

Altamaria devait l'extraire du lit pour qu'il se nourrisse, le pincer pour qu'il se lave, et le maintenir encore d'aplomb en le giflant pour qu'il s'occupe d'elle à peu près correctement.

Ce jour-là, Olfan, sa porte tirée après lui, décela une présence sur le palier. Une odeur sucrée fit courir sur son ventre un frisson trouble.

« S'il te plaît, Altamaria... »

La lingère, à peine visible dans la pénombre, l'embrassait tout entier dans son regard velouté.

« À cette heure-ci, tes collègues paressent dans les cafés, jouant à tromper le jaloux sous un déguisement quelconque. Le soleil n'est pas encore levé sur le mur. Tu sais parfaitement que nous aurions le temps. »

Elle avait posé son panier et s'approchait en roulant des hanches. Lui, fier comme un coq, allait passer outre lorsqu'elle avança promptement, logea une cuisse entre les siennes et glissa, cerise sur le gâteau, une main dans sa chemise. La main était chaude, la cuisse moelleuse. Olfan ne se faisait aucune illusion : ferré de la sorte, il ne résisterait pas longtemps. Comme sa bouche se refusait à articuler un son, il dirigea toute sa détresse dans ses yeux. Un regard implorant, ultime rempart contre la séduction.

Altamaria prit sur elle. Elle retira sa cuisse et sa main brûlante.

« Cette petite rousse aux seins ronds t'a tourné la tête. Je me trompe ? »

Toujours sans voix, cherchant à reprendre son souffle, Olfan baissa les yeux. Altamaria déposa sur ses lèvres un baiser parfumé et s'éclipsa dans la même seconde.

L'Arpenteur s'inquiéta de voir son amie redevenue si confiante. La vision quotidienne de l'apothicaire, soufflant, rageant, reniflant sur le seuil de son échoppe désertée, le tourmentait. Il se risqua dans la rue. Altamaria n'était plus là. Sur le trottoir d'en face, un mouvement se produisait. Quelques piétons refluaient vers le mitan de la chaussée, abandonnant la place à un apothicaire filant grand train. L'énergumène avait fermé son échoppe, passé un manteau à col de fourrure, coiffé un gibus délavé, et il avançait, fébrile, laissant échapper de petits rots de contentement. Altamaria — Olfan en avait le pressentiment — était à l'origine de cette sortie précipitée. Il se cala dans le sillage du bourgeois.

Sans le savoir, le jeune homme empruntait le trajet qui avait déjà conduit Altamaria, la Garce et son dernier amant sur le lieu où leur destin les attendait.

Gibus et manteau fourré filaient au pas de course. Et pour cause, Altamaria les précédait de quelques mètres. La lingère avait pris conscience de la situation, et par là même ses jambes à son cou. Olfan courait donc lui aussi, le plus silencieusement possible, car l'apothicaire ne l'avait pas encore repéré. Quelques piétons glissaient sur les côtés. Quels étaient leurs visages ? Qu'exprimaient-ils à voir circuler la mort devant leurs yeux ? Avaient-ils seulement conscience qu'elle passait ?

Le bourgeois suait beaucoup sous sa fourrure. Il crachait de la bile et — cela devenait plus manifeste à mesure que la poursuite durait — il aboyait. Son corps flasque et lourd n'était pas coutumier de l'effort, mais sa détermination le jetait aux trousses de cette femme, haïe entre toutes, bientôt à portée de ses griffes.

On approchait du mur. Les constructions paraissaient moins coquettes. Des coulures grises striaient les façades, le trottoir n'était guère entretenu et des mousses y prenaient leurs aises, grasses d'écoulements divers. Devant l'Arpenteur, le gibus poussa un grognement de plaisir. L'instant d'après il se jetait sur Altamaria, qui gisait au sol, les genoux ensanglantés. La malheureuse venait de glisser sur une plaque moussue.

Sans l'intervention d'Olfan, l'apothicaire n'aurait fait qu'une bouchée de la lingère.

Olfan aida son amie à se relever, proposant son mouchoir pour nettoyer les genoux rougis. L'homme au gibus écrasé ronflait dans le caniveau, l'empreinte d'une chaussure ferrée imprimée sur le front.

Altamaria désignait une demeure jaunâtre à quelques pas de là. Elle supplia Olfan de l'accompagner à l'intérieur. L'Arpenteur jeta, en soupirant, un regard vers le mur. Il faudrait qu'il s'arrange de son absence auprès de lui.

L'apothicaire ronflait moins fort ; il bougeait dans son sommeil. Olfan n'en doutait pas : il venait de s'attirer lui aussi la malédiction du bourgeois.

La Garcière correspondait à la description d'Altamaria. Un enduit jaunâtre couvrait une façade surchargée de babioles en stuc et coiffée d'une tourelle vert pistache. Depuis le hall au portemanteau déserté jusqu'à l'intérieur du souterrain, en passant par le couloir lugubre, Olfan ne trouva pas matière à s'étonner. Les murs exhalaient la même odeur que dans ses représentations les plus noires. C'était une odeur de solitude, de luxure et de mort.

En bout de galerie, assises parmi les sacs de tessons numérotés, deux silhouettes aux contours fondus produisaient les bruits caractéristiques de la mastication. Quelques sons plus graves émanaient de leurs abdomens, comme pour ponctuer leurs discours. Olfan s'attendait à trouver ici les deux bedonnants assistants de l'archéologue, pourtant il ne les aurait pas imaginés si imposants. La rondeur régnait sur ces visages lunaires, qui surmontaient d'autres formes aux allures de galets. Il y avait en eux quelque chose du pain de sucre ou de la brioche, et qui ne tenait pas seulement à leur volume. Du petit orteil à la pointe des cheveux, tout devait être comestible.

Par contraste, l'archéologue hirsute et frêle qui papillonnait de l'un à l'autre, apportant ici un tesson à nettoyer, là un conseil précis, voltigeant encore entre les parois pour grattouiller quelque saillie terreuse, évoquait la fragilité de l'insecte, la sécheresse et le désert.

En apercevant leur amie, les deux hommes clignèrent des yeux sans mot dire : leurs bouches enfournaient la terre d'un récent déblai. Comme ils n'étaient pas avares, leurs yeux clignèrent aussi à l'adresse de l'Arpenteur.

L'insecte jaillit du fond de la galerie en chuchotant des formules sibyllines. Il se cogna dans les pattes du jeune homme, leva la tête, tritura sa barbiche, perplexe. Les présentations faites, il tendit une petite main crayeuse, s'éclaircit la gorge comme pour exprimer une formule de bienvenue, n'en fit rien, s'éclaircit à nouveau la gorge et toussa trois fois. Là-dessus, il repartit, l'air très inspiré, dans la direction opposée.

Les cartes attendaient, déjà battues, que les nouveaux arrivants prennent place. Sous terre, les tracas de la surface perdent en acidité. On finit par se convaincre qu'on est les plus heureux du monde et qu'aucun reflet ne saurait rien assombrir.

Olfan connaissait le jeu. Adolescent, il l'avait pratiqué. Depuis l'âge adulte, naviguer et courir le jupon l'avaient occupé, passe-temps exigeants. Il avait dû renoncer à d'autres formes de plaisir, plus sages. Ce jeu de parpalotte étalé devant lui réveillait une légère nostalgie de cette époque où, encore ouvert à l'infini des existences possibles, il tuait le temps avec des camarades qui comme lui attendaient leur destin.

Naguib et John — Olfan avait réussi à connaître le prénom des deux grassouillets — n'avaient jamais pratiqué la parpalotte avant de se retrouver dans la cave, de même qu'ils avaient été naguère athlétiques et d'appétit mesuré. C'était la terre grasse du souterrain qui les avait changés.

Olfan ne voulait pas décevoir Altamaria, sa partenaire, et il se sentait grande envie de renouer avec le jeu. Mais les vases et les coupelles, les relevés et les grattoirs, tout ce petit peuple de détails qui constitue le quotidien d'un archéologue lui envoyait des baisers. Italo s'agitait autour des joueurs. Il grattait la terre quelques instants, se levait, s'immobilisait dans l'esquisse d'un mouvement, semblant chercher la direction du vent, puis sautillait d'un pied sur l'autre en parlant avec un tesson ou une brosse. Olfan, malgré les œillades d'Altamaria, malgré ses remontrances fleuries lorsqu'il commettait une erreur d'inattention, laissait fréquemment filer son regard. Il demeurait suspendu au moindre geste de l'archéologue. Les tessons, les peintures, les récipients ouvragés, tous les reflets de cette civilisation antérieure au mur revêtaient une importance capitale à ses yeux. Son absence d'aujourd'hui, qu'il devrait justifier auprès de la Confrérie, lui paraissait du même coup insignifiante. Comme ses ancêtres, il avait simplement passé une journée entière sans voir le mur. Il y survivrait. De même que le mur survivrait à son absence. Les Arpenteurs n'étaient que des enfants auxquels le géant magnanime voulait bien confier un joli rôle, de temps à autre.

Ce jour-là, Olfan, qui n'avait jamais été si proche de l'autre côté, conçut le projet audacieux qui dormait en lui depuis longtemps. Peut-être depuis toujours.

Ce qui retenait Pandora de ce côté de la muraille, c'était son balcon.

Privée de l'odeur du raisin, elle dépérirait. Elle se consumerait dans une atmosphère devenue hostile à son organisme délicat. Il fallait la croire. Elle qui ne savait pas promettre ne savait pas mentir non plus.

« Si une seule chose t'attache ici, alors tu n'es pas prête. Les raisins ne sont qu'un prétexte. »

Olfan avait lâché le gouvernail, laissant le bateau dériver lentement. Il se rapprocha de son amie, caressa ses boucles enflammées. Ce mélange d'impétuosité et de fatalisme l'agaçait autant qu'il l'émouvait. Il se demandait si, différemment constituée, Pandora aurait retenu son attention. Il pensait que non. Et cela le rendait indulgent pour tous ses caprices, pour tous les rendez-vous non promis, toutes les déclarations ferventes qu'elle avait feint d'ignorer. Au contact de Pandora, Olfan était devenu un monument d'indulgence.

« Ne me prends pas pour un fou, Pandora. Je n'ai pas mérité cet honneur : les fous sont des êtres hors norme, presque des demi-dieux. Moi je veux seulement voir ce qu'il y a de l'autre côté.

— Pourquoi avec moi ? Je ne sais même pas si j'aurai envie de te revoir demain. Tout ce qui peut arriver après aujourd'hui ne me concerne pas. Je vis dans un univers sans futur et sans passé, qui correspond à peu près à ce qu'on appelle la liberté. Repose-moi la question le moment venu... si nous nous fréquentons encore. »

Olfan enroulait une mèche rousse autour de son doigt. Ses lèvres pressaient un rictus ironique.

« Tu prendras demain les mêmes décisions qu'aujourd'hui, les mêmes qu'hier et que tout le temps qui a précédé hier. La liberté, c'est autre chose. C'est peut-être le doute, la faculté de remettre en question ce que l'on touche. C'est la curiosité. C'est l'imagination. C'est vouloir passer des frontières, et grandir. Si tu ne possèdes pas tout ça, tu ne peux pas être libre. »

La mer se levait doucement. L'embarcation décrivait des cercles langoureux. Les deux amants s'étaient allongés sur le plancher, phalanges et jambes entrelovées. Sans mot dire, ils scrutaient le ciel, clignant des yeux lorsque le soleil doublait un nuage, respirant plus vite lorsque la houle secouait leur esquif. Ils n'avaient plus envie de penser. Ils auraient voulu dormir ici, ne plus rentrer. Ils se sentaient la force d'écouler toute une existence dans cet unique moment.

Pourtant ils retournèrent à la ville.

Il y avait un peu de vent ; juste assez pour gonfler la voile. Le paysage dormait de tout son long. Des canaux faméliques striaient la prairie. Ils se faisaient discrets, disparaissaient derrière les ajoncs qui bordaient leurs lits. Il fallait inspirer très fort pour sentir passer un peu de cette chose inodore que l'on devait bien se résoudre à appeler de l'air. Ce décor manquait cruellement de personnalité, Olfan n'avait jamais tant souffert en le traversant.

Au-delà des collines épuisées, l'horizon s'élevait peu à peu, devenait une muraille. Devant cette muraille se dressait une ville grise, encaissée. Un conglomérat de vies minuscules. Tassées. Prostrées. Niaises.

Olfan le jura tout haut à son amie : il passerait cette ville aussi simplement qu'on passe une porte.

Pandora, allongée sous l'ombre que formait la voile, dormait.

Depuis des semaines, Italo Svevino entassait des fragments de ce paysage ouvert de toutes parts sur l'horizon. Même salis, même brisés, ces reflets d'un temps où les choses étaient résolument différentes produisaient un effet colossal sur l'Arpenteur. Un vertige, une suffocation provoquée par trop d'espace, trop d'atmosphère à assimiler. Olfan avait grandi dans l'idée que le mur faisait partie du monde originel, de même que la lune, le soleil et les étoiles appartenaient au ciel. Cette idée, certes, avait maintes fois vacillé. Elle venait, avec les découvertes dans le souterrain, de prendre un coup de boutoir.

Italo ne montrait rien de ses sentiments. Ou plutôt, il les exprimait d'une manière indéchiffrable. L'Arpenteur ne savait que penser des gesticulations, des trépignements et des exclamations de l'archéologue. Il devait exister des correspondances entre les signaux émis par sa bouche et ceux que produisaient ses mains en claquant ses cuisses, son front, son carnet de notes et toute surface plane que l'archéologue jugeait propre à émettre un claquement. Ses silences étaient eux aussi remarquables : ils semblaient pétris d'une matière particulière, évanescente et pourtant très vive. Comparable à de l'électricité.

Italo Svevino avait remarqué l'intérêt que ce jeune visiteur portait à son travail. Pour lui être agréable, il disposait ses trouvailles sur des nappes blanches afin que les contours des objets s'y dessinent correctement. Italo conservait tout mais n'exposait que les trouvailles spectaculaires. Les autres, celles qui ne se livraient pas facilement, il les enfournait dans des boîtes en carton ou dans des sacs en papier, le tout soigneusement étiqueté, référencé, classé.

Sur les nappes, les objets s'ordonnaient selon le thème de leurs décorations. Italo Svevino, avec de vieilles gravures, composait des variations paysagères. De nombreuses scènes se situaient au fond d'une gorge abrupte ou sur un sommet escarpé. Au pied des montagnes coulaient des fleuves aux reflets verts et rouges. La mer, telle qu'elle apparaissait ici, n'était pas grise. Elle était turquoise, ou émeraude, mais d'une teinte si légère que l'on pouvait voir dans son ventre, par transparence, évoluer des créatures aux formes inédites. Oiseaux, gazelles, végétaux et minéraux dotés de branchies et de nageoires. L'ivresse des profondeurs semblait avoir présidé à l'élaboration de ces peintures. Aucun navire ne griffait la peau de la mer, aucun baigneur ne goûtait sa douceur. Cette étendue liquide qui se prélassait au pied de gigantesques amphithéâtres rocheux se donnait en spectacle. Oui. Aucun des ancêtres qui l'admiraient n'en pouvait obtenir davantage que le plaisir des yeux.

Motif récurrent des gravures : des hommes allongés sur des dalles plates dominant le golfe. Ils serraient dans leurs mains distraites la chevelure des femmes étendues auprès d'eux. Elles aussi n'avaient d'yeux que pour la mer.

D'autres scènes représentaient des humains dînant ou dansant. Quelque chose qui se déroulait hors du cadre, et dont le peintre n'avait donné qu'une idée imprécise, allumait un reflet dans l'œil des personnages.

Cette civilisation connaissait la viande de bœuf, les asperges, et savait transformer le granit en alcool. Sa liqueur assommait les fidèles. Il y avait, dans le fond de chaque tableau, quantité de buveurs allongés face contre terre, ivres morts. Dans le coin inférieur droit, un personnage en miniature vidait une amphore haut levée au-dessus de sa tête. Il apparaissait sur chaque gravure, toujours buvant à l'amphore, toujours logé dans le coin inférieur droit. C'était une marque de fabrique, la signature d'une école, ou celle d'une civilisation.

Cette forme de peinture mettait en scène, toujours, un personnage et son reflet. Le culte du reflet s'étendait aux animaux et aux choses. Les vaches, les chevaux, les baleines avaient leur reflet attitré. Comme les fleurs, les arbres et les montagnes. Tout était double dans cet univers. La mer elle-même possédait son reflet dans le ciel, et le ciel dans la mer.

Olfan imaginait que l'autre côté était ce monde, aujourd'hui encore. Ce monde de contrastes et de brisures que le mur avait préservé de l'aplatissement. Il ignorait ce qu'aurait pensé Italo de ces conclusions hâtives. Les indications que la terre livrait à l'archéologue demandaient à être vérifiées, révisées, enrichies. Ce serait le travail de plusieurs années. Olfan, lui, en saurait assez, bientôt, pour tenter l'aventure.

Les rêves tronqués de Pandora s'amoncelaient. Les phrases s'entremêlaient au cœur du tumulus de papier froissé. Certaines couraient en surface, s'absentaient derrière une pliure pour resurgir aussitôt. D'autres, après un bref séjour à l'air libre, plongeaient dans le sein du monticule pour ne plus reparaître. De loin en loin quelques mots surnageaient, dont on croyait reconnaître la silhouette. Après un examen approfondi, nul n'aurait prétendu que ces mots étaient des mots, et qu'ils étaient réellement constitués de lettres.

Lorsque Pandora marchait dans la chambre, le parquet vibrait, des rêves dégringolaient jusqu'au sol pour venir lui caresser les pieds. Elle leur jetait un regard distrait. Ses yeux tentaient, par réflexe, de déchiffrer quelques signes à la surface du papier, puis, rappelée à l'évidence, elle les repoussait de sa chaussure, doucement.

L'Arpenteur connaissait l'existence de cette montagne aux écritures. Il avait tenté lui aussi d'en gravir les phrases, lui aussi avait dû renoncer. Il semblait que la plume ait glissé à vide, sans imprimer autre chose que des sillons muets.

Pour Olfan, cet échec confirmait l'urgence. Tenter laborieusement de capter une image de l'autre versant du monde alors qu'il suffisait de passer un mur pour y accéder lui semblait à présent le comble de la niaiserie. Olfan croyait de plus en plus à l'action, de moins en moins aux rêves.

Effrayant mais fortuné, l'apothicaire avait rassemblé autour de lui une équipe. Des citoyens du quartier pour l'essentiel. Certains le fréquentaient depuis longtemps, d'autres s'étaient rangés à son bord lorsqu'agitant sous leur nez une bourse rebondie, il le leur avait gentiment demandé.

Il n'avait pas recruté n'importe qui, l'essentiel étant que ses relations inspirent confiance. Ces messieurs, rondouillards, possédaient des joues fraîches et roses, car l'opinion publique tenait en estime une telle apparence. Ils portaient des costumes sombres et des chaussures noires vernies. Une cravate pendait invariablement sur leur poitrine. Ce manque d'originalité dans leur tenue vestimentaire inspirait lui aussi confiance, car le brave monde redoute les fortes personnalités.

L'un de ces messieurs s'occupait de la boutique. Bonhomme, sans doute, à considérer ses joues roses et l'ampleur de son embonpoint, mais pas plus haut que le comptoir. Le maître du lieu lui avait prêté son gibus pour qu'on le distingue mieux.

L'apothicaire avait compris que sa vengeance demanderait du temps et de l'organisation. Il se donnait à son projet avec la minutie d'un maître horloger. S'il avait, à l'époque d'avant la Garce, tenu serrés les cordons de sa bourse, l'homme dépensait sans compter à présent. Il gâtait son monde. Les réceptions s'enchaînaient à son domicile.

Le granit coulait à flots, et au matin les cravates de ses Bonshommes n'étaient pas toujours de la première fraîcheur. L'argent que possédait le maître du lieu n'avait plus de raison d'être, sinon l'aider à accomplir son vœu le plus ardent. Les événements récents l'avaient prouvé : la tête d'Altamaria, et celle d'Olfan, coûteraient plus cher qu'il ne l'avait cru.

Il s'agissait d'étudier l'emploi du temps des coupables afin de déterminer l'instant propice à leur exécution. Ce n'était pas tâche facile, car la régularité semblait étrangère à ces deux êtres. La ponctualité que l'on attend d'un Arpenteur se réduisait, dans le cas d'Olfan, à un petit bout de légende. On avait appris à le reconnaître malgré les déguisements dont il s'affublait. Le grand oiseau sortait du logis en milieu d'après-midi, se dirigeant vaguement vers la friche ; on le voyait revenir peu après, frais comme un gardon. Il montait se changer, puis filait à la Garcière. On s'étonnait, certes, que la Confrérie des Arpenteurs abandonnât la responsabilité d'une zone entière à pareil râpe-semelles. Mais pour l'instant, ce manque de sérieux ne dérangeait personne ; il s'avérait plutôt commode que le garçon ne changeât rien à ses manières. Quant à la lingère, elle ne fréquentait plus guère le lavoir communal. Elle sortait dans la rue avec une pleine corbeille de blouses propres. Elle les livrait rapidement au client — une manufacture de coulis de potiron —, prenait sur-le-champ de nouvelles commandes et s'enfermait à double tour dans son logis. Elle lavait chez elle pour limiter les risques de mauvaise rencontre. Les deux amis se savaient observés. L'essentiel de leurs sorties consistait en leurs visites à la Garcière. Ils effectuaient le trajet ensemble. Parfois, le mari de la coupable, dont on n'avait pas retenu le prénom, les accompagnait. Il fallait les suivre discrètement, car elle avait l'œil vif, lui la poigne lourde.

Souvent, une petite femme rousse à la poitrine décorée d'une grappe de raisin trottinait aux côtés de l'Arpenteur en lui donnant la main.

C'était tout ce petit monde auquel il importait de fixer une position dans l'espace et dans le temps. Car en maîtrisant son temps et son espace, on maîtriserait aussi l'ennemi.

Le bourgeois mettait son logement à la disposition de ses hommes. Depuis la cuisine, située au-dessus de la boutique, on pouvait surveiller l'immeuble adverse. Même furtive, même silencieuse, nulle sortie ne pouvait échapper à l'œil vigilant des comploteurs.

Des équipes de deux se relayaient. Tandis que l'un se tenait à la fenêtre, dissimulé derrière un rideau de dentelle bleue, son binôme, une large serviette nouée autour du cou, absorbait de la charcuterie. L'apothicaire imposait ce régime à ses hommes : il s'agissait de gagner encore en bonhomie. Outre le saucisson, qu'ils dévoraient volontiers, il imposait aussi le cervelas, qu'ils enfournaient moins volontiers, et le salami, qu'ils ingurgitaient en pleurant par peur d'être mordus.

Le guetteur décelait-il un mouvement dans l'immeuble en face, il en avertissait aussitôt son compère, lequel notait les observations sur un cahier. Ce cahier trouvait place dans un coffre-fort. Il constituait le bien le plus précieux de l'apothicaire, celui où se dessinaient, chaque jour plus distinctement, le lieu et le moment de sa vengeance.

Si la lingère, ou l'Arpenteur, effectuaient une sortie, deux Bonshommes empruntaient une porte dérobée qui ouvrait sur une ruelle. De là, ils rejoignaient aussitôt la rue principale et suivaient le gibier.

Les Bonshommes aimaient cette petite vie. À se demander pourquoi il y en avait eu une autre avant. Hormis l'absorption forcée de salami, ceux qui se relayaient à la cuisine n'avaient pas à se plaindre. Quant aux autres, les objectifs de la filature ne variaient pas. C'était toujours la Garcière, la friche et la manufacture de coulis de potiron.

Olfan, pour éviter de pleurer en regagnant la ville, ne naviguait plus. Et pour ne plus importuner Pandora dans son désir de liberté, il ne lui rendait plus visite. C'est elle qui chaque soir le rejoignait, elle qui mettait un point d'honneur à lui dire adieu lorsqu'il la raccompagnait.

La vie aurait pu s'écouler ainsi. Les sbires de l'apothicaire n'y auraient rien trouvé à redire, payés qu'ils étaient pour absorber de la charcuterie et se promener en suivant des gens, au fond, plutôt inoffensifs.

La belle saison approchait.

Des sourires éclataient dans le ciel, effarouchant quelques nuages. Des nuées de volatiles inscrivaient sur le bleu des formules cryptées, éphémères, à l'intention des cartomanciennes et des rebouteux que la venue du printemps ne manquerait pas de déloger.

La rue devenait coquette. Son pavé brillait, l'angle de ses trottoirs luisait doucement sous le trottinement de la foule qui avait basculé sans se faire prier dans la saison nouvelle. La gorge des passantes mettait le nez aux fenêtres ; les messieurs arboraient des chandails près-le-corps pour bomber avantageusement le torse. Ce nonchalant défilé de poitrines aurait pu se poursuivre jusqu'à ce que l'été conduise les passants à révéler d'autres parties de leur anatomie. Mais le ciel, cette année-là, ne l'entendait pas de cette oreille.

Olfan effectuait son parcours quotidien le long du mur. Il suait sous son uniforme vert bouilli. Il aurait bouclé son périmètre et détrempé sa tenue sans se plaindre si une bourrasque chaude, surgie de nulle part, ne l'avait renversé dans le noble exercice de ses fonctions. Une seconde, aussi brûlante, le dissuada de reprendre de la hauteur. D'autres encore, plus rapprochées, contraignirent l'Arpenteur à ramper sur le sol couvert d'orties. Des tuiles glissaient sur les toits. Elles passaient allégrement les gouttières, cascadaient jusque sur le pavé. Entre les maisons, alourdi de déchets plus ou moins solides, plus ou moins coupants, le vent devenait une masse compacte, aussi dangereuse qu'une armée en marche.

Le ciel avait perdu la raison, la ville ne tarderait pas à l'imiter.

Juste avant la première bourrasque, Altamaria apportait une panière de blouses fraîchement repassées à la fabrique de coulis de potiron. La lingère fut projetée en l'air tandis que le contenu de sa panière se répandait autour d'elle. Elle n'eut pas l'occasion d'évaluer l'ampleur des dégâts : une bourrasque chaude lui botta les fesses. Altamaria fit une mauvaise chute à l'angle d'un trottoir et se frictionna longtemps les reins. Ses blouses, désormais, tournoyaient aux quatre vents.

Le pauvre monde qui caracolait encore à l'air libre s'improvisa un refuge. On se pressa dans des granges, dans des garages ou dans la cour d'arrogants hôtels particuliers. L'air surchauffé devenait irrespirable. Il cuisait la peau, sifflait si fort qu'on aurait cru entendre un orchestre de loups.

À l'instant où la tornade fondit sur la ville, Pandora, armée d'une plume, courait après son dernier rêve sur un bloc de papier jauni. La manufacture d'huile de rhubarbe, changement de saison oblige, avait fermé pour quelques jours. Alors la petite femme rousse persistait à creuser des sillons dans des feuillets qu'elle roulerait en boule sitôt revenue à elle. Pendant cet exercice, elle oubliait sa pesanteur. Elle était une plume. Sa vie se déroulait tout entière dans ce message qu'elle traçait éperdument.

La fenêtre de sa chambre ouvrait sur le printemps. Quelques mésanges picoraient le rebord des fenêtres en observant cette femme agenouillée sur le carreau qui faisait crisser à la surface d'un rectangle blanc une longue plume dont elle trempait fréquemment l'extrémité dans un liquide noirâtre.

La première bourrasque emporta les mésanges et jeta les rêves par-dessus bord. La suivante gifla si violemment la jeune femme qu'elle l'étendit sur le sol. Ainsi rappelée à sa pesanteur naturelle, Pandora se dirigea en titubant vers le balcon. Elle eut le temps de tirer le volet avant que les éléments ne se déchaînent. À travers les interstices du bois, elle apercevait ses rêves. Ils planaient, très loin, au-dessus du mur. Bientôt, on n'en distinguerait plus un seul.

Altamaria n'était parvenue à gagner aucun abri sûr. Le banc sous lequel elle avait cru trouver asile s'était envolé comme une feuille. Elle aurait suivi ce banc dans les airs si Olfan ne l'avait miraculeusement agrippée par la taille. Ils atteignirent un porche moins exposé. Serrés l'un contre l'autre pour peser plus lourd, ils parvinrent sans encombre jusqu'à la fin de la tornade.

L'apothicaire nourrissait son rêve de vengeance avec la douceur d'une mère pour son enfant. Attentif à ses besoins, surveillant son alimentation et sa croissance, il ne voulait pas le brusquer. Et le petit rêve, comblé par tant d'amour, s'épanouissait. Il gagnait chaque jour en couleurs et en force. La vengeance qui en était le noyau adoptait des allures de chef-d'œuvre.

L'apothicaire découvrait ce qu'inspirer à pleins poumons veut dire. Sitôt levé, il poussait ses volets, vérifiait que l'immeuble des ennemis se dressait toujours en face de lui, et à sa vue il ressentait un bien-être dans tout le corps. Il ouvrait grand la bouche, avalait de longues goulées d'air matinal. Il voulait goûter la rue, s'enivrer de ses moindres effluves. Lorsque, sinus rafraîchis, poumons agrandis, il refoulait tout ce petit monde à grand bruit, la maisonnée s'éveillait. Les Bonshommes alignés dans le couloir sur des matelas de laine se redressaient promptement, pliaient leur barda pour rendre l'endroit présentable et regagnaient leurs postes. On aurait offert la mer et ses poissons à ces messieurs replets, convenablement costumés, qui arboraient la plus franche satisfaction.

L'apothicaire n'ignorait pas qu'une fois les coupables exécutés, sa vie perdrait le seul but qu'il ne lui ait jamais fixé. Il ne pressait guère d'arrêter le temps et le lieu de l'exécution. Avant d'atteindre la Garcière, le trajet empruntait des ruelles désertées, des parcs abandonnés sous la

ramure de sombres marronniers où l'on aurait pu assassiner une famille d'oies sans attirer l'attention. L'apothicaire
se savait capable d'y conduire une offensive discrète et
fatale. Mais l'homme peaufinait encore, envisageait toujours mieux. Et mieux, dans le cas présent, cela signifiait
porter un coup au moral de l'ennemi. L'apothicaire ne se
contenterait pas d'un simple assassinat. Il voulait prolonger la souffrance des coupables. Il voulait les voir décli-
ner, observer de près la flétrissure de leurs visages. Or, le
meilleur moyen qu'il ait imaginé pour y parvenir, c'était de
faire interdire les fouilles.

L'apothicaire comptait dans ses rangs plusieurs anciens
Conseillers au Parlement, plusieurs juristes à la retraite
aussi. Ces messieurs se prêtaient sans réserve à son jeu,
car leurs vieux jours devenaient bien mornes. Ils enten-
daient préserver la santé en exerçant une activité soigneusement encadrée. S'ils avaient incarné des personnages
craints, parfois même respectés, ils acceptaient sans fierté
mal placée l'autorité de l'apothicaire. Celui-ci pouvait
leur donner des ordres, à condition qu'ils soient sans
appel. Ils ne voulaient pas d'un craintif en panoplie de
chef, mais d'un véritable supérieur, irascible et injuste.

Ils furent vite rassurés. Les colères de leur nouveau
maître n'étaient pas feintes, les punitions ne les épargnaient
pas. Aucun de ces messieurs, par exemple, n'appréciait le
salami. L'apothicaire les mit au pas de façon si convain-
cante qu'ils en absorbèrent deux fois plus que la dose pres-
crite. Tandis que leur estomac se tordait de douleur, de
chaudes larmes roulaient sur leurs joues. C'étaient des
larmes de bonheur.

L'un d'entre eux, un immense porte-monocle à redingote vert bouteille, jouissait d'appuis solides au Conseil de

la Ville. Il y avait exercé la fonction de Premier Conseiller. Il procéda personnellement, et avec beaucoup de zèle, à une enquête de moralité sur le chantier de la Garcière. Pour ce qu'il en savait, le vieil archéologue qui dirigeait les fouilles n'était pas un trublion. Mais l'on pourrait toujours inventer un prétexte. Un interdit quelconque, assez grave pour entraîner la fermeture de la Garcière.

Au fond du souterrain, ce matin-là, tout allait de travers.

Italo Svevino s'était blessé le gros orteil en piochant. Soigné par Altamaria, il s'était remis à l'ouvrage. Mais un étourdissement l'avait aveuglé, il avait dû s'asseoir. On lui apportait des madeleines et de la liqueur de potiron. Lui, tremblant de rage, bougonnait plus qu'il n'avalait.

Naguib et John n'avaient pas la tête au jeu de parpalotte. Depuis le début de la matinée, les deux gros hommes mastiquaient fébrilement. La nourriture leur échappait des mains, faisait fausse route dans leurs gorges. Ils devaient tousser pour reprendre de l'air. Les cartes, et les vêtements des autres joueurs, n'en sortaient pas indemnes.

Pour se passer les nerfs, Olfan avait proposé de monter dans la tourelle vert pistache les deux trouvailles de la matinée : une anse de tasse à l'intérêt limité, car on en trouvait pléthore — à croire que les ancêtres confectionnaient plus d'anses que de tasses —, et un fragment de soucoupe au décor délavé.

L'Arpenteur avait rejoint la cave, gravi l'escalier. Il s'apprêtait à déboucher dans le corridor lorsque des voix lui parvinrent. Leur timbre grave et un peu velouté rangeait leurs propriétaires dans une docte classe — les doctes personnages s'expriment à voix douce pour atténuer le coupant de leurs propos. Les autorités, à l'évidence, effectuaient une visite sur le chantier. L'Arpenteur n'avait aucun intérêt à emprunter sous leurs yeux le chemin de la tourelle vert pistache. On y entreposait les trouvailles récentes, celles qu'il fallait encore nettoyer et soigneusement étiqueter avant de les porter chez l'archéologue. Là-bas, les trois armoires du salon débordaient de reliques. Italo avait dû suspendre plusieurs sacs de tessons au plafond de sa chambre. Il prévoyait d'en garnir les autres pièces et les couloirs si les fouilles continuaient à produire autant.

Olfan rebroussa chemin. Il franchit d'un seul bond la volée de marches, plongea dans l'ouverture du souterrain et fut auprès des autres avant que les visiteurs n'aient ouvert la porte de l'escalier.

Les doctes personnages se méfient de la souplesse comme des éclats de voix. Sans doute parce que le serpent est souple et qu'il symbolise la fourberie. Aussi, ne pliant guère les genoux, ils se déplacent avec lenteur. Lorsque les voix veloutées résonnèrent enfin dans le souterrain, Olfan avait retrouvé une respiration sereine, et la partie de parpalotte avait repris. L'étonnement fut presque véritable lorsqu'apparurent dans la lueur de la bougie cinq messieurs fort raides portant gibus et manteaux fourrés. Ils avaient effectué sans lumière la traversée du souterrain. Leurs pantalons étaient crottés au-dessus des chaussures et piquetés de boue jusqu'à la ceinture. Ils se présentèrent à voix basse comme des experts envoyés par le Conseil. Un effet de leur rigidité? Leurs bottes écrasèrent plusieurs cartes lorsqu'ils se dirigèrent vers le maître des fouilles. Ils piétinèrent aussi quelques feuillets négligemment répandus sur le sol par l'archéologue, puis demandèrent à examiner ceux qu'il tenait dans ses mains.

Italo avait confectionné deux carnets de notes. Celui auquel il confiait la majeure partie de ses observations demeurait caché dans une niche de la paroi. Le carnet qu'il tendit à ses visiteurs était beaucoup moins épais, il concernait des observations de routine quant aux niveaux géologiques et à la présence d'insectes conservés dans la glaise. Plusieurs pages étaient dédiées à l'anatomie de ces insectes, ainsi qu'à leurs mœurs, leur origine, leur métabolisme, bien que leurs variétés correspondissent en tout point aux variétés actuelles. Italo avait réalisé le travail du parfait incapable qu'on pensait voir en lui. Il serait difficile de trouver à redire dans la moralité de son chantier.

Les yeux des cinq doctes personnages repassaient sur la moindre ligne de son rapport. Entre deux paragraphes, leurs regards s'élevaient de concert, leurs têtes pivotaient de gauche à droite puis de haut en bas, décrivaient des cercles, lentement, en parfaite coordination, retournaient enfin à leur lecture sans avoir rien décelé d'anormal. Les joueurs de parpalotte n'osaient pas nettoyer les cartes boueuses. Ils les regardaient tristement, en espérant que le sacrifice de leur partie en valait bien la chandelle. Le silence, entrecoupé par le bruissement des feuillets, ricanait.

Après avoir lu et relu, scruté la voûte et les parois du souterrain, les Conseillers se concertèrent. Ils se rassemblèrent dans un recoin de la cavité où ils formèrent un cercle imperméable aux regards. Leurs lèvres remuaient à peine. Autour d'eux, on tremblait un peu. On avait hâte de connaître leur décision. On commençait à craindre qu'ils ne se soient endormis. Les feuillets ne bruissaient plus, pourtant le silence continuait à ricaner.

Au bout d'un temps, les conseillers s'éclaircirent la gorge dans un ensemble parfait, inspirèrent copieusement, mais l'un d'eux seulement prit la parole.

« Cette étude sur les insectes est immorale. Nul ne doit étudier les mœurs des espèces volantes, supposées capables de passer le mur. Le chantier fermera sous vingt-quatre heures. Considérez qu'ensuite vous serez dépossédé de votre mission. »

Le personnage qui venait de parler, peut-être parce que son monocle et sa redingote vert bouteille le rendaient plus docte que tous, conserva le carnet d'Italo. Il fit un signe aux autres en claquant dans ses doigts, ce à quoi ils répondirent en claquant des talons. Là-dessus, tous les cinq s'éloignèrent en écrasant les cartes qu'ils avaient épargnées lors de leur premier passage.

Depuis la tornade, le reflet de Pandora n'en faisait qu'à sa tête. Lorsque les paquets d'air brûlant avaient déferlé dans l'appartement, l'âme de certains objets avait été faussée. Ainsi en allait-il des miroirs. La petite femme rousse en avait tapissé les murs de son logis. De taille et de forme hétéroclites, occupant le moindre espace libre, ces collections particulières veillaient sur elle.

De nombreuses pièces s'étaient brisées durant le cataclysme. Pandora avait dû beaucoup balayer, beaucoup pelleter, et beaucoup pleurer pour venir à bout des éclats disséminés dans l'appartement. Plusieurs semaines après, il lui arrivait encore de surprendre des échardes brillantes derrière le pied d'un meuble, sous un tapis, dans l'interstice d'une plinthe.

Certains miroirs avaient tenu bon, mais le reflet qu'ils renvoyaient avait la tête ailleurs. Il apparaissait avec beaucoup de retard et campait des postures dans lesquelles la jeune femme peinait à se reconnaître. Ses mouvements étaient plus lents. Quelque chose les déviait en plein vol, les allongeait ou les rétrécissait sans logique particulière. Le soir venu, les miroirs abandonnaient toute retenue. Le visage de Pandora s'étirait, sa bouche pendait, ses yeux battaient la campagne au-dessus de son front. Au début, elle avait enduré stoïquement le phénomène, espérant que les miroirs se remettraient de la catastrophe. Mais au fil des semaines, aucune amélioration n'apparaissant dans son reflet, elle décida de voiler la face à ces images folles. Elle recouvrit les plus imposantes avec de grands draps, les plus modestes avec des serviettes ou des mouchoirs.

Pandora parcourait en vain les alentours du mur à la recherche de ses rêves froissés. Elle espérait en retrouver au moins une partie, escomptant que tous n'auraient pas été balayés de l'autre côté. Pour peu qu'une forme blanchâtre volât, elle se précipitait dessus. Elle courait après les emballages de viennoiseries, elle plongeait entre les jambes des passants pour attraper un sac en papier, elle volait après des lettres d'amour, après des manuscrits de romans, après des poèmes, après d'autres rêves illisibles que la tornade avait ravis à leurs propriétaires. Mais elle ne retrouvait pas les siens.

Olfan l'aidait. Ses longues jambes lui rendaient accessibles des choses très élevées. Il délogeait ce qui s'était coincé sous les tuiles, dans des gouttières, entre des briques disjointes. Il aurait voulu sincèrement retrouver quelque chose de ce côté-ci du mur. Pourtant chaque déception le confortait dans son idée : il y avait urgence à passer la frontière.

Naguib et John ne parvenaient plus à rien mâcher tant les sanglots leur secouaient la poitrine. Ils ressemblaient à de grosses bougies pleurant leur cire à chaudes gouttes. Bec était venu chercher tout le monde à bord d'une charrette de location. Altamaria, l'œil sec et le regard brûlant, lui donnait quelques inquiétudes. Il connaissait son épouse et redoutait une crise d'ampleur exceptionnelle.

La charrette déposa Italo devant son perron. Olfan descendit pour l'accompagner jusqu'à sa chambre. L'Arpenteur n'était pas venu souvent. Néanmoins, le dédale des couloirs n'avait plus aucun secret pour lui ; il savait reconnaître les principaux, qui menaient à des pièces, et les couloirs secondaires, qui menaient à des placards. Les deux hommes progressaient en direction de la chambre à coucher lorsque l'oreille de l'Arpenteur décela, atténués par la longueur des corridors, certains bruits singuliers. Il y avait du monde au salon. Plus précisément, ce monde-là était en train d'ouvrir placards et tiroirs. À pas de loup, l'Arpenteur poursuivit jusqu'à la chambre d'Italo, laissa le vieil homme à l'intérieur, puis il effectua tout seul le trajet qui menait au salon. Tourner quatorze fois à gauche, dix-huit fois à droite. À mesure qu'il approchait, les sons devenaient plus clairs. On identifiait le grincement des tiroirs et des placards, le friselis que font livres et cahiers quand on les feuillette, le froissement que produit le plan d'une fouille lorsqu'on le déplie sur une table, et le chuchotis de plusieurs voix.

Olfan n'avait nul besoin d'en savoir plus. Son oreille l'avait renseigné : dans la journée, des espions avaient fouillé la maison d'Italo, ils avaient atteint le salon par miracle et venaient de découvrir les documents relatifs à la civilisation d'avant le mur. Avec la discrétion phénoménale dont il usait pour surprendre les lézardes, Olfan gagna le salon. Les Arpenteurs auraient été capables, si leur service l'avait exigé, de se rendre invisibles. Ils savaient trouver toujours, quelque part dans la composition moléculaire d'un lieu, une place pour leur corps, un refuge où le regard ne détectait pas leur présence. Ainsi Olfan, parvenu devant l'ouverture de la pièce, put-il observer sans craindre d'être vu.

Trois individus se tenaient debout devant les trois armoires du salon. Ils avaient accédé aux sacs de tessons, aux coupelles et aux objets plus volumineux décorés avec ces paysages qu'Italo n'aurait jamais dû exhumer. Pourtant ils ne s'en saisissaient pas encore. Ils ouvraient et refermaient les portes en poussant des soupirs d'aise lorsque le vent passait sur leurs visages. Ils avaient eu chaud dans le dédale des couloirs, cette gymnastique constituait le moyen le plus adéquat pour se rafraîchir.

Deux autres messieurs, trop zélés pour prendre le temps de s'éventer, transpiraient sur les documents découverts dans la commode. Sur des formulaires blancs et rouges, ils inscrivaient les caractéristiques de chaque trouvaille. En cela, ils témoignaient d'une grande habitude, car leur cadence ne faiblissait pas. Leur visage parcouru de tics nerveux voulait aider leurs mains, qui n'avaient demandé aucune assistance et le faisaient savoir en écrivant deux fois plus vite.

Un sixième individu, pas plus grand qu'un guéridon, était juché sur la table. Il arpentait le plan des fouilles déroulé sous ses semelles. Ses petites bottes frappaient le bois en rythme tandis qu'avec le pouce et l'index, il tiraillait nerveusement sa lèvre inférieure en s'exclamant du bout de la glotte.

Le spectacle devenait ennuyeux. L'Arpenteur décida d'intervenir. Il claqua dans ses doigts, insulta son monde à voix haute, effectua plusieurs gestes obscènes. Là-dessus, il fit volte-face et prit la direction de la cuisine. C'était le trajet le plus tortueux. Afin que les hommes le suivent bien, Olfan martelait le sol avec ses semelles.

L'équipée dura. On dut tourner beaucoup. Les trois messieurs qui s'étaient rafraîchis aux armoires soufflaient bruyamment et suaient comme des fontaines. Les autres avaient rangé crayons et formulaires ; leurs visages mangés de tics s'évertuaient à venir en aide à leurs jambes, qui n'avaient rien demandé non plus et s'ingéniaient à courir deux fois plus vite.

Lorsque les espions atteignirent la cuisine, elle était vide. C'est du moins ce qu'ils pensèrent. En réalité l'Arpenteur se trouvait parmi eux, dissimulé en une place que leurs yeux évitaient. Silencieux comme une ombre de fourmi, il attendit que les six messieurs aient pénétré dans la pièce, puis il se glissa à l'extérieur sans attirer l'attention.

Olfan eut tôt fait de couvrir la distance jusqu'à la chambre d'Italo Svevino. Il chargea le vieil homme sur ses épaules et fut dans la rue avant que les autres n'aient quitté la cuisine. Ceux-là ne trouveraient pas la sortie avant plusieurs jours.

Olfan avait porté Italo Svevino, endormi sur ses épaules, jusqu'au domicile d'Altamaria. Après avoir installé le vieil homme sur le canapé, il s'était baissé pour ramasser son chapeau tombé au tapis, et il ne s'était pas relevé. Le sommeil l'avait agrippé par le col.

Le jeune homme ronflait à présent, épuisé par le sauvetage. Italo ronflait aussi, vidé par l'interruption de son chantier. Naguib et John, ayant écoulé toutes leurs larmes, arraché un à un les poils de leurs avant-bras et embrassé douze fois Bec, quatorze fois Altamaria, dormaient dos à dos, assis sur leur arrière-train au milieu du salon.

Bec veillait sur son épouse. La crise qu'il redoutait avait eu lieu. Sitôt rentrée au logis, Altamaria s'était mise à trembler, à baver, à souffler la vapeur à la manière d'une cafetière. Elle s'était ruée dans leur chambre à coucher et elle avait commencé à mordre ses pantoufles. Bec l'avait attachée sur le lit. Il priait pour que la pression s'évacue sans causer de dégâts dans ce corps adoré. Mais il savait son aimée nerveuse comme un bouillon, acérée comme du fil de fer barbelé.

Tout en la surveillant, il affûtait son tranche-lard avec une lanière de cuir.

Dans l'immeuble d'en face, on avait ouvert quelques bouteilles de vieux granit pour agrémenter le salami. La victoire approchait, mais il ne fallait pas brusquer les choses. On pénétrait tout juste dans la phase, jouissive entre toutes, où l'ennemi déclinait physiquement. On avait observé avec un grand intérêt l'arrivée de cette charrette. On y avait aperçu les deux énormes personnages en pleurs et le terrassier à l'œil revanchard, mais surtout, on avait pris le temps d'observer la lingère. La pâleur de son visage avait produit un effet bœuf. L'apothicaire avait ordonné qu'on aille chercher à la cave de quoi se réchauffer la panse.

Lorsque l'Arpenteur était rentré à son tour, ployant sous la charge de son compagnon endormi, on avait apprécié en connaisseurs son visage défait. À présent on buvait du granit à petites gorgées, en considérant cet immeuble fatigué, aux volets fermés, qui portait sur sa façade le désarroi de ses locataires. Dehors, l'air était doux. Un peu de vent venait rafraîchir les buveurs. Rien ne pressait, l'apothicaire tenait à prolonger l'instant avant de placer l'estocade.

La soirée montait en puissance. De voluptueuses, les gorgées devenaient copieuses. Quelques Bonshommes dansaient des farandoles dans le salon. Afin de titiller l'adversaire, on avait ouvert en grand portes et fenêtres. Un phonographe lâchait des accords enroués mais joyeux. On chantait haut, on dansait lourdement, on riait grassement. Des bouteilles jonchaient le trottoir sous les fenêtres. Quelques Bonshommes aussi, qui n'avaient pas tenu l'alcool.

Le maître de maison descendit chercher des munitions à la cave. Il possédait plusieurs fillettes de vieux granit logées dans un recoin malodorant. Le sol en terre battue y était plus meuble qu'alentour en raison de l'humidité. Or, c'était à l'humidité que cet alcool se conservait le mieux. Dans un endroit sec, le granit reprenait sa rigidité première.

L'apothicaire envoya trois fois le bras dans l'obscurité.
Trois fois sa main fit mouche. Mais alors qu'il se retournait, une quinte d'éternuements le cloua sur place cinq
bonnes minutes. Lorsqu'il ouvrit les yeux, paupières rougies et joues baignées de larmes, Bec se tenait devant lui.
Un sourire angélique joignait ses deux oreilles.

« À vos souhaits ! »

Le sourire s'estompa comme il était apparu pour faire
place à un rictus carnassier. L'apothicaire mourut très
vite, en faisant copieusement sous lui. La dernière image
que sa rétine imprima fut celle du tranche-lard écarlate
qui venait de découper ses entrailles de bas en haut.

Ainsi donc, le destin de l'apothicaire était de périr dans
une cave. Comme la belle dame qu'il avait voulu venger.

Bec, ouvrier hors pair, terrassait vite et sans bruit.
Quelques minutes après son trépas, l'apothicaire gisait
sous soixante centimètres de terre meuble. Au-dessus de
lui le sol était redevenu parfaitement plat. Ne subsistait
que l'odeur de ses excréments. Bec, une fois revenu chez
lui, aurait du mal à l'oublier malgré la bouteille de granit
vieux emportée par pur réflexe.

En haut, la fête battait son plein. Plusieurs Bonshommes
piquaient du nez sur leur assiette. Comme on s'inquiétait
un peu de savoir ce que devenait le granit promis par le
chef, deux Bonshommes furent dépêchés à la cave. Ils y
trouvèrent deux bouteilles de cru spécial, posées à même
le sol. Incommodés par l'odeur qui régnait là, ils empoignèrent les fillettes par le goulot et s'empressèrent de
remonter, sans plus songer à l'apothicaire.

Comme chaque soir, Pandora était venue frapper à la porte d'Olfan pour lui annoncer qu'elle voulait bien, réflexion faite, passer encore une nuit auprès de lui.

Avant de pénétrer dans l'immeuble, elle avait remarqué l'agitation qui régnait en face et s'était demandé si, pour que son bien-aimé marine un peu, elle n'irait pas s'y laisser offrir un verre. Réalisant que la musique provenait de chez l'apothicaire et que cet homme avait signé l'arrêt de mort d'Olfan, elle avait abandonné l'idée.

Elle trouva porte close. L'appartement de son amoureux était silencieux. En revanche, celui des voisins laissait échapper des ronflements fournis. C'était la première fois qu'elle restait sur la touche à cet endroit. La première fois aussi qu'un appartement ronflait avec tant d'application. La jeune femme triturait avec nervosité sa grappe de muscat frais cueilli. On ne part pas de chez soi à l'heure où sa bien-aimée arrive ! Qu'elle n'ait rien promis ne change rien à l'affaire : un homme doit savoir attendre dans le doute.

Pandora dansait d'un pied sur l'autre, hésitant à regagner son domicile, lorsque Bec monta l'escalier. L'homme soufflait. Il avait l'air sombre et préoccupé ; une bouteille pendait au bout de son bras. En apercevant Pandora, il laissa échapper un sursaut. La jeune femme demeurait fichée sur une jambe, et sur une résolution oubliée sitôt formulée.

Bec réalisa un gracieux entrechat en saluant Pandora. Avant de faire chanter la serrure, il se retourna théâtralement :

« Mademoiselle Pandora, vous prendrez bien un petit granit avec moi ? »

Elle n'avait jamais vu le terrassier dans cet état. Il fit tourner la poignée, interrompit son mouvement, puis se retourna de nouveau. Sur son visage le sourire s'était mué en une souffrance hagarde.

« Mademoiselle, votre ami se trouve chez moi. Il dort du sommeil du juste. D'autres dorment avec lui, et, ronflegueuse ! je ne vous garantis pas qu'ils ouvriront l'œil de sitôt. Pour ma part j'ai peur de ne pas réussir à en faire autant. Je viens d'assassiner un homme ! »

Le salon ronflait trop bruyamment pour qu'on y puisse apprécier le granit à sa juste valeur. Bec et Pandora se réfugièrent dans la cuisine. Une chandelle brûlait, leur arrivée la fit danser de joie. Oui. Le coin serait douillet, pour attendre.

Bec ouvrit la bouteille, lentement. Il remplit deux verres, concentré, la lippe inférieure formant saillie. Il devait avoir l'air effrayant. Un criminel. Malgré cela, Pandora leva son verre en le regardant au fond des yeux. Elle n'avait pas peur de se salir. C'était comme avant. Peut-être n'avait-elle pas compris ses mots lorsqu'il avait avoué son meurtre :

« Je viens d'assassiner un homme ! »

Avant de monter, dans son égarement, il avait laissé la porte de l'immeuble ouverte. Il aurait suffi d'un bruit parasite :

« Je viens d'(*une charrette passe dans la rue*) un homme ! »

Et puis, en face, la fête battait son plein malgré l'absence du propriétaire.

« Je viens d'(*un cri d'ivrogne retentit dans la nuit*) un homme ! »

Pandora n'avait pas osé le faire répéter. Bec se détendit. Leurs regards ne se croisèrent plus. Les verres se remplirent plusieurs fois, les mains les portaient aux lèvres. Trajectoires sobres. Déplacements d'air furtifs. Attente silencieuse. Les ombres flottaient sur la cloison. Accablées d'immobilité, elles désobéissaient souvent, s'agitaient quelques secondes avant de recoller aux contours de leurs propriétaires. Elles aussi attendaient.

Ce n'était pas la culpabilité qui gênait Bec. Ce n'était peut-être même rien, au fond, car à bien sonder le grand corps blanc de sa conscience, il se sentait plutôt léger. Il aurait dû se trouver mal, et faisait tout pour s'en convaincre. Mais rien. L'attente, finalement, était surtout joyeuse.

Au milieu de la nuit, Olfan les rejoignit. Naguib avait crié dans son sommeil, John lui avait répondu. Ni l'un ni l'autre n'avait émergé, mais l'Arpenteur, tiré d'un songe, avait fixé son attention sur les ronflements d'Italo. Il n'avait pas réussi à replonger.

La cuisine formait une île paisible dans cette demeure en vacarme. Son silence avait attiré le jeune homme qui, un verre de granit dans la main, Pandora, câline, sur ses genoux, ne regretta pas son tapis.

On entendit soupirer dans la chambre. Le lit grinça, un juron lui répondit. Bec, doux comme un carré d'ouate,

détacha sa bien-aimée, puis il l'emporta chevaleresque-
ment à la cuisine. Il restait un peu de granit. L'attente se
peuplait de sérénité. La paix qui émanait du lieu était si
puissante qu'elle tira les derniers dormeurs du sommeil.
Un par un, la démarche aérienne, Naguib, John et Italo
pénétrèrent dans la pièce. La bougie se trémoussait. Il
restait des chaises, et un fond de bouteille.

· La paix se prolongea encore un peu. Lorsqu'elle eut
imprégné toutes leurs fibres, les sept compagnons se
mirent en route. L'heure était venue.

La fête était finie. L'appartement de l'apothicaire s'ouvrait sur des pièces illuminées, jonchées de Bonshommes abandonnés au sommeil dans la position où l'ivresse les avait jetés. Ces gorges-là ronflaient à leur tour, ces lèvres marmonnaient des phrases sibyllines, ces ventres produisaient les sons caractéristiques de la digestion. La demeure dérivait au cœur d'un quartier endormi.

Partout ailleurs la nuit était la nuit. On n'entendait ni voix humaine ni soupir de chat de gouttière. Les nuages avaient dérobé la lune : au-dessus de cette ville, les nuits pouvaient atteindre une profondeur exceptionnelle.

L'Arpenteur guidait sa troupe par des ruelles obscures. On lui faisait confiance. L'heure était si noire que dans ces lieux dépourvus d'éclairage public, on avançait un pied sans se rappeler où l'on avait posé l'autre. La quiétude, cependant, n'avait pas abandonné les sept compagnons. Chaque pas, même hésitant, même avalé par l'obscurité, les rapprochait du but. Le trajet dévora une quantité de temps infinie. Plusieurs siècles coulèrent.

La nuit était toujours aussi sombre lorsqu'on parvint devant la Garcière. Le chantier devait être évacué en fin de matinée ; Italo Svevino, pour quelques heures encore, en possédait la clé.

L'obscurité dans la demeure était plus épaisse que de la boue. Par précaution, aucune chandelle ne fut allumée. Il fallut se guider au bruit des pas jusqu'à ce que, dans l'escalier de la cave, l'Arpenteur craque enfin une allumette. La volée de marches soudain matérialisées, abruptes et glissantes, révélait des dangers ignorés l'instant d'avant. Mais il fallait descendre, on ne prit pas le temps de frissonner jusqu'au bout.

À l'entrée du souterrain, Olfan troqua l'allumette contre une torche et s'enfonça le premier dans l'ouverture. Italo laissait échapper des larmes. De petites gouttes brillantes qui se détachaient de lui à chaque pas pour plonger dans la terre grasse et s'y noyer. Naguib suivait John, John suivait Pandora, qui suivait Bec et Altamaria. Cela semblait plus facile que dans le noir, mais la sérénité, elle, était demeurée à l'extérieur de la Garcière. Des pieds trébuchaient sans raison, une épaule frottait contre la paroi, une oreille, un front s'éraflait à une radicelle proéminente.

Ce monde-ci devenait agressif. Vexé qu'on l'abandonne, il cherchait à se venger.

On avait placé Bec devant, et on lui avait laissé de l'espace vital pour que ses coups de pioche soient efficaces. Immédiatement après lui, Olfan et Altamaria, armés de pelles, refoulaient la terre déblayée vers l'arrière. Naguib et John, qui avaient retrouvé l'appétit, faisaient ce qu'ils pouvaient pour que le sol ne s'encombre pas. Pandora les encourageait. Italo les surveillait de près, craignant qu'ils n'avalent une pièce de valeur, un chaînon manquant dans le relevé de ses fouilles.

Le terrassier tirait son monde vers la surface. Il haussait la colonne vertébrale du souterrain en pratiquant des marches dans la terre meuble. Le trajet se modifiait aussi simplement que s'il avait été creusé dans du pâté.

La pioche se mit à chuinter. Ce fut tout d'abord timide, un chuchotis à peine audible. Puis cela s'amplifia. La lame crachotait de plus en plus d'étincelles. Le terrain devenait caillouteux. Bec ne s'en émouvait pas. Sans doute en avait-il terrassé des plus coriaces. Il s'était mis en tête de percer la coquille de la terre et il la percerait. Des éclats vifs crépitaient autour de lui, les autres s'étaient reculés à plus de cinq mètres. Olfan et les deux filles abritaient leur visage derrière leurs mains. Naguib et John faisaient la moue, ce brouet d'échardes rocheuses n'était pas à leur goût.

Brusquement, Bec s'interrompit. Sa pioche avait émis un son aigu, aussitôt évanoui. La lame gisait à ses pieds, brisée en trois morceaux. Pour un peu, le silence aurait pleuré. Le terrassier scrutait la voûte au-dessus de lui. Impossible d'évaluer la largeur, ni l'épaisseur de cette dalle de granit. Il ne savait qu'une chose : on n'aurait plus le temps de la contourner.

Bec descendit de son poste, passa devant ses amis sans honorer leur regard interrogateur. Il disparut en direction de la sortie. On entendit son pas décroître dans le souterrain. Au bout d'un temps, il sembla que sa voix résonnait, très grave. Bec leur criait qu'il ne serait pas long. Il conseillait d'attendre son retour. Il ajoutait « Foutregueuse ! ». Mais, à cette distance, cela pouvait aussi bien être « Ventrebleu ! », ou « Boursecreuse ! ». Et puis plus rien. Pas même un grincement de porte, là-haut.

La nuit pâlissait. Bec volait plus qu'il ne courait, posant le pied au jugé, évitant par miracle ornières et pavés déchaussés. À cette vitesse, le monde qu'il allait répudier ne pourrait rien tenter contre lui.

Le terrassier connaissait le nouveau chantier de Rogue. Celui-ci était proche du mur et débutait bien avant l'aurore. Y parvenir serait l'affaire de quelques minutes. C'était au retour que les choses risquaient de se corser.

Rogue était accaparé par la mise en place de bâtons de dynamite. Plusieurs immeubles s'écroulaient en périphérie de la ville, qu'il fallait démolir pour prévenir un accident. Les mèches seraient allumées en début de matinée. Auparavant, Rogue devait organiser un réseau complexe de câbles et de ramifications.

Lorsque Bec le trouva, son ami venait d'ôter son chapeau ; il le tenait dans la main gauche tandis que sa main droite grattait le sommet de son crâne. C'était sa manière de faire. Il lui fallait gratter longtemps, car la sauce marinait à tout petits bouillons, mais en général le terrassier en tirait des idées lumineuses.

Bec ne pouvait attendre. Il prit sur lui pour interrompre la concentration de son ami. Un claquement de doigts, un appel chuchoté mais autoritaire :

« Hep ! Rogue ! »

La main qui grattait abandonna le cuir chevelu, vint prendre place le long du corps. Une idée pointait le bout de son museau ; elle n'eut d'autre choix que de battre en retraite. Le chapeau de Rogue réintégra de mauvaise grâce le sommet de son crâne.

« J'ai besoin de ton aide, Rogue. C'est urgent. »

Le corps de Rogue s'assouplit. Des orteils au front, ses pores se dilatèrent : une armée de tympans minuscules recouvrit son épiderme. Bec pouvait y aller. Ses mots pénétreraient ici comme dans du beurre.

« Une tuile pas possible, ventremerde ! T'imagines même pas. L'immeuble d'en face, celui de l'apothicaire, a voulu baiser le nôtre au front. Mais tu connais la maçonnerie, Rogue, on ne peut pas demander ça à un immeuble ! C'est arrivé cette nuit. L'apothicaire donnait une fête. Son immeuble était sens dessus dessous. Il a voulu se trémousser lui aussi, avec ses occupants, ses étages, ses charpentes et la nichée d'hirondelles qui logeaient dans ses greniers. Il s'est penché. Au moment où ses cheminées touchaient le toit du nôtre, badabeng ! voilà toute la maçonnerie qui s'affale au milieu de la rue ! »

Rogue considérait son ami sans rien dire. Il y avait bien une odeur de granit par là, pourtant Bec semblait alerte et dispos. Il parlait souvent par métaphores et Rogue, qui n'avait jamais excellé à déduire leurs significations, était accoutumé à laisser glisser les histoires de Bec au-dessus de lui en dodelinant patiemment du chef.

« Il y a du monde, là-dedans, Rogue ! Et pas qu'en bon état ! Pour ce qui me concerne, le miracle ! J'ai été éjecté sur le pavé quand notre façade s'est effondrée. Mais Altamaria et notre voisin l'Arpenteur sont encore dessous. Des tonnes de gravats qu'il faudra déblayer pour les tirer de là ! »

Bec louchait vers la masse de Rogue. Quinze kilos de métal à l'épreuve du granit le plus dur. Un outil d'une efficacité phénoménale. Plus loin, les caisses de dynamite. Il s'approcha de son ami, lui assena sur l'oreille un viril coup de patte pour introduire sa prière. L'autre lui décocha un coup de soulier ferré dans le tibia, exprimant ainsi qu'il était tout disposé à l'écouter.

« Voilà. Si tu acceptais de me prêter une pioche, ta masse de quinze kilos et quelques-uns de ces bâtons que je vois là, je pourrais secourir les miens sans plus tarder. »

Rogue hésitait. Il adorait faire plaisir, mais le matériel ne lui appartenait pas. Pour le décider, Bec ramassa un caillou et lui ouvrit avec précaution une arcade sourcilière. Rogue, effectivement, prit une décision rapide : d'un coup de tête affectueux, il fendit la lèvre supérieure de Bec.

« Je savais que tu m'aiderais, Rogue. Merci. Tu récupéreras tout dans quelques heures, c'est juré sur la crête du mur. »

Tandis que Bec se servait dans une caisse, Rogue tamponnait un mouchoir sur son arcade. Il s'approcha, pensif.

« Il y a la fête au Quartier Rouge, ce soir. On a découvert une lézarde de neuf millimètres ! La plus petite au monde ! L'Arpenteur qui a réussi le coup sera fêté comme jamais. Moi, je serai aux premiers rangs. Tu penses y aller ?

— Et comment ? Tu peux compter sur moi ! »

Bec, le matériel calé sur sa poitrine, tapa dans la main calleuse de son confrère. Là-dessus, il s'élança lourdement vers la Garcière.

« Encore merci, Rogue ! Adieu ! »

L'obscurité l'engloutit aussitôt.

Le matériel pesait. Bec s'efforçait de maintenir une allure régulière. S'il s'arrêtait une seule fois, il le savait, il ne pourrait pas repartir. Il songea à la fête du Quartier Rouge, et se souvint qu'il y avait connu Altamaria. Toute une époque. C'était dans ce monde, mais déjà dans une autre vie.

Des éclats de pensées bringuebalaient dans sa tête. Il se demanda pourquoi il venait de dire « Adieu » à Rogue. Et ne voulut pas imaginer ce que celui-ci en avait déduit.

De l'autre côté, le pourtour des choses était encore mangé de gris, mais la lumière du soleil avançait dans le ciel, chassant l'obscurité à vive allure. Le mur s'étirait paresseusement sur la terre, colosse aux membres ankylosés de sommeil.

Olfan, porté à bout de bras par ses camarades, émergea par l'étroite ouverture que Bec avait pratiquée dans la croûte pierreuse et lança une corde aux autres.

Bec, après l'effort produit pour hisser Naguib et John hors de la cavité, récupérait, assis sur l'herbe rêche qui recouvrait la terre ici aussi. Il chassait de la vapeur devant ses lèvres. Sa respiration sifflait sur plusieurs registres. Entre deux notes, il crachait de la terre et de la poussière de roche. Puis il postillonna dans ses paumes à vif, frotta vigoureusement, se redressa d'un bloc. Il fit signe de s'écarter à quinze pas. Le terrassier craignait d'avoir été suivi. Il alluma simultanément deux bâtons de dynamite et se plaça à la verticale de l'orifice. Là, il ferma les yeux pour puiser du courage au fond de lui, emplit ses poumons d'une inspiration solennelle et accomplit le geste irréversible. Olfan serrait Pandora contre lui. Naguib et John se tenaient par la main. Bec avait rejoint Altamaria et tous deux avaient posé leurs paumes sur les épaules d'Italo Svevino, qui n'avait plus assez de larmes pour pleurer son chantier.

Les mèches étaient longues. Elles se consumaient en silence. On craignit un instant que la terre humide du souterrain ne les éteigne. Puis cela vint. L'ouverture cracha vers le ciel une salve de terre, de tessons et de boue. Le sol s'ébroua en bougonnant, puis il s'affaissa un peu du côté du mur, obstruant l'ouverture. Quelques graviers retombèrent, roulèrent dans les orties.

Ce fut tout.

Le ciel, doucement, passait du bleu sombre au bleu clair. Les brumes du matin recouvraient une étendue plane et odorante qui ressemblait à une friche. Les orties régnaient sur cette jungle miniature. Certains plants portaient des fruits blanchâtres, pelotes à la membrane fripée. Sous le souffle du vent, des fruits se détachaient, prenaient de la hauteur, planaient sur quelques mètres avant de retomber dans les bras d'un autre plant d'orties. Pandora les avait reconnus aussitôt. Elle cueillit son rêve le plus proche, s'agenouilla sur cette terre crissante et déplia la feuille de papier froissé. Son écriture avait subi une mutation sensible : les lignes que sa plume avait tracées évoquaient des alignements de murs parallèles, plantés à perte de vue sur l'écorce d'une lande plissée. Pandora relâcha la feuille, qui voleta quelques instants avant de piquer du nez dans les orties.

Au-delà de la friche, de hautes façades apparaissaient, dont les contours fuyaient encore dans la brume. Des fenêtres se matérialisaient doucement, rectangles plus clairs dans le gris sombre des façades. Ici aussi, selon toute vraisemblance, on avait ressenti le besoin de vivre à distance du mur. C'était une surface semblable que le géant de pierre exhibait au regard. D'une blancheur fanée, parsemée d'irrégularités séculaires. On aurait voulu que ce moment dure un tout petit peu plus. On ne regrettait rien, on ne ressentait pas de tristesse, mais il fallait du temps pour faire son deuil de l'autre côté. S'habituer à l'idée qu'ici, après que le jour eut chassé la nuit, une autre ville apparaîtrait.

Mais le soleil insistait. Le gris s'estompait, il faisait place à toutes les autres couleurs. On ne pouvait qu'observer le spectacle de cette autre ville plantée face au mur. Composée elle aussi de hautes constructions en briques délavées, abandonnées sur toute la rangée qui bordait la friche.

Une rue apparaissait, s'approfondissait, révélant des trottoirs moussus, des pavés fatigués, et sur la gauche, à quelque distance, une maison jaunâtre surmontée d'une tourelle vert pistache. L'ombre d'un homme, lourde et comme harassée, avançait dans cette rue. Il progressait en direction du mur, portant sur son dos une large caisse de bois. Des outils s'entrechoquaient là-dedans et c'était un miracle que cet homme, dont l'arcade sourcilière formait un bec sanguinolent, avance encore sous le fardeau. On entendait sa respiration. On pouvait même la voir. C'était un filet de vapeur blanche qui franchissait par saccades la barrière de ses lèvres, enveloppait son visage pour se dissoudre aussitôt dans l'air humide.

Parvenu à quelques pas du groupe, Rogue fit un signe de la main. Il porta un mouchoir poisseux à son arcade tuméfiée, gonfla ses poumons, et lança joyeusement :

« On vous verra bien ce soir, à la Fête du Quartier Rouge ? »

Puis il s'éloigna en traînant des jambes lourdes. Il disposait encore de quelques heures de repos avant la Fête.

Cet ouvrage a été achevé d'imprimer en mai 2008
sur les presses de Marquis Imprimeur